O LIVRO DA FÉ

PARA CRIANÇAS

William J. Bennett

O LIVRO DA FÉ

PARA CRIANÇAS

ILUSTRAÇÕES DE
Michael Hague

TRADUÇÃO
Ricardo Silveira

Editora
Nova
Fronteira

Título original: *The Children's Book of Faith*

Copyright do texto © 2000 by William J. Bennett
Copyright das ilustrações © 2000 by Michael Hague
Todos os direitos reservados.
Copyright da tradução para língua portuguesa © 2022 by Editora Nova Fronteira Participações S.A.
Publicado mediante acordo com a Random House Children's Books, uma divisão da Penguin Random House LLC.

Direitos de edição da obra em língua portuguesa no Brasil adquiridos pela Editora Nova Fronteira Participações S.A. Todos os direitos reservados. Nenhuma parte desta obra pode ser apropriada e estocada em sistema de banco de dados ou processo similar, em qualquer forma ou meio, seja eletrônico, de fotocópia, gravação etc., sem a permissão do detentor do copirraite.

Editora Nova Fronteira Participações S.A.
Av. Rio Branco, 115 – salas 1201 a 1205 – Centro – 20040-004
Rio de Janeiro – RJ – Brasil
Tel.: (21) 3882-8200

Dados Internacionais de Catalogação na Publicação (CIP)

B471l   Bennett, William J.
       O livro da fé para crianças / William J. Bennett; ilustrado por Michael Hague; tradução Ricardo Silveira — 2. ed. — Rio de Janeiro: Nova Fronteira, 2022.
       104 p.

      Título original: The Children's Book of Faith

      ISBN: 978-65-5640-444-8

      1 . Literatura infantil I. Silveira, Ricardo. II Título.
                                       CDD: 028.5
                                       CDU: 7.07

André Queiroz – CRB-4/2242

Sumário

Introdução 7
Daniel na cova dos leões 11
O que Deus prometeu 15
Onde há amor, Deus ali está 16
A filha do capitão 23
Nos confins do mar 24
A lenda de São Cristóvão 28
Orações matinais 34
A cura do paralítico 36
O chamado de Samuel 39
O menino e o anjo 43
A ovelhinha perdida 47
O vigésimo terceiro salmo 51
O Gigante Egoísta 52
Babuska 60
Prece de agradecimento 62
A história da "Graça maravilhosa" 64
O passeio de Santo Agostinho à beira do mar 68
Uma luz a nos guiar 71
O menino que trouxe luz para um mundo de trevas 72
O manto de São Martinho 76
Faze de mim um instrumento da tua paz 79
Míriam e o cesto flutuante 80
Ele há de ouvir 85
A semente 86
Minha dádiva 89
Por que os sinos tocaram 90
Amar Jesus 95
Preces para dormir 96
Pai-nosso 98

Introdução

Alguém um dia disse que no auge de toda nobre empreitada humana encontra-se uma torre apontando para Deus. Encontram-se torres no topo dos grandes pináculos da história — a fundação da democracia, o nascimento do movimento em prol dos direitos humanos modernos, a luta contra o totalitarismo. Encontram-se torres coroando os esforços cotidianos de inúmeras vidas — pessoas que largam seus próprios afazeres para prestar ajuda ao próximo, casais que compartilham sua força entre si, pais e mães que abrem mão de suas próprias necessidades para satisfazerem as dos filhos.

Num mundo que parece sempre cheio de desventuras, a fé produz o bem em quantidades impressionantes. Ela é a rocha sobre a qual se erigem tantas virtudes: honestidade, coragem, generosidade, dedicação, responsabilidade e autocontrole. É um chamado à bondade, à decência, ao perdão e ao amor. Ancorando a noção que temos de certo e errado, a fé impede-nos de vagar à deriva. Eleva-nos para além de nossos limites e oferta-nos uma noção mais ampla de intuitos em nossa jornada pela vida.

Os pais ajudam os filhos a aprenderem sobre a fé de várias maneiras consagradas pelo tempo. Rezam e leem as escrituras juntos, em família. Celebram os dias santos. Vão à igreja ou ao templo e lá participam de atividades. Primordialmente, os pais ensinam por meio do exemplo.

As histórias que contamos às crianças pequenas também podem ajudar. Os textos deste livro visam a inspirar corações e mentes jovens, a ajudá-los a compreender a fé. Nestas páginas, encontramos exemplos de pessoas que buscam forças das alturas, acreditando que Deus as ajudará com as pequenas e grandes tarefas da vida. Vemos essa gente pronta a atender ao chamado de Deus e a se firmar em devoção a Ele. Ao ler e conversar sobre a fé, os pais ajudam seus filhos a aprenderem que Deus os ama, que se preocupa com o que fazem, que os criou para a bondade.

Mais uma vez Michael Hague empunhou seu pincel para dar brilho a verso e prosa. Suas belíssimas ilustrações iluminam como a luz dos vitrais. Michael sabe alçar o imaginário das crianças e convocar seus pensamentos aos céus. Sua arte, de maneira muito própria, glorifica a Deus.

Ao organizar este livro, voltei-me para a tradição judaico-cristã por algumas razões simples. Como a maioria dos norte-americanos, sou cristão e presto o melhor serviço ao leitor quando lhe participo o que sei e creio. Essa tradição é um acervo precioso que deu à luz instituições políticas livres e delineou ideais nacionais. Está nos fundamentos da civilização ocidental. A escolha do material não visa, de forma alguma, fazer pouco ou colocar em dúvida qualquer outra fé. A liberdade de reverenciarmos conforme nos convém é, a meu ver, uma grande dádiva de Deus.

Nossas aspirações e desejos podem nos voltar para coisas erradas. Nossa cultura tende a nos desviar de uma vida de fé, chegando até a instigar em nós um certo torpor espiritual. Servem de chamariz para as crianças a televisão, o cinema, o computador, o rádio, as revistas, e até mesmo alguns livros. Todo pai atento sabe disso e, às vezes, se desespera.

Flannery O'Connor, escritora de fé profunda, advertiu que "você precisa fazer tanta pressão quanto a época que o pressiona". A boa-nova é: quando os adultos fazem pressão contra os aspectos mais sombrios de nossos tempos, acontecem coisas boas para os jovens. Espero que este livro auxilie os pais nessa tarefa e fale às crianças como criaturas de Deus que estão começando uma jornada espiritual. Seu propósito é o de ajudar os jovens a aprenderem que pertencemos ao Todo-Poderoso, e que precisamos tentar viver de um modo que O glorifique. Espero que, para você e seus filhos, este livro seja como uma pequena torre a apontar para Deus.

O LIVRO DA FÉ
PARA CRIANÇAS

Daniel na cova dos leões

Eis um de nossos maiores exemplos de alguém que se manteve inabalável em sua fé.

Há muito tempo, na Babilônia, vivia um homem chamado Daniel. Era muito sábio; tão sábio que o rei Dario resolveu colocá-lo a seu serviço, deixando boa parte do reino da Babilônia a seu encargo. Isso encheu de inveja muitos outros nobres da corte, que passaram a procurar uma maneira de voltar o rei contra ele. Mas Daniel era tão honesto e bom que não conseguiram encontrar defeito algum nele.

Enfim, tiveram uma ideia. Eles sabiam que, três vezes ao dia, Daniel ia para o quarto, abria a janela para olhar na direção de Jerusalém, sua cidade natal, e orava a Deus.

— Vamos usar sua fé em Deus para derrotá-lo — concluíram entre si.

Foram então ao rei Dario e o encheram de elogios e bajulações.

— Vossa Majestade é um grande rei, muito sábio. — disseram-lhe. — Com tanta grandiosidade, não há quem se compare!

— Isso mesmo! Vocês têm razão — concordou Dario, balançando a cabeça.

— É quem nos provê de tantas coisas boas — disseram-lhe.

— Certo! Isso também é verdade — respondeu o rei.

— Queremos fazer uma lei nova para que todos saibam da sua grandeza — prosseguiram. — Durante trinta dias, ninguém deverá dirigir suas preces a deus algum, somente ao rei. Quem rezar a algum deus será lançado aos leões. Agora, ó grande rei, escreva e assine a lei, e faça com que não seja modificada.

O rei era um homem vaidoso e ficou satisfeito com a ideia de uma lei que o colocasse acima até mesmo dos deuses. Então, sem pedir conselhos a Daniel, ele assinou a nova lei, e o decreto se espalhou por todo o reino. Durante trinta dias, nenhuma pessoa poderia venerar ninguém senão o próprio rei.

Daniel soube da nova lei, mas, ainda assim, todo dia ele ia três vezes a seu quarto, abria a janela que dava para Jerusalém e oferecia suas preces ao Senhor. Não conseguia evitar. No seu entender, deixar de rezar significava trair sua fé em Deus.

Seus inimigos o vigiavam de perto e viram Daniel se ajoelhar para fazer suas orações. Foram imediatamente falar com o rei.

— Ó rei Dario, Vossa Majestade não fez uma lei dizendo que se alguém oferecesse alguma prece, seria jogado na cova dos leões? — perguntaram.

— É verdade — disse o rei. — A lei foi feita e deve ser cumprida.

— Pois há um homem que não obedece à lei — disseram-lhe. — Todos os dias, Daniel reza três vezes para Deus.

— Daniel, não! — bradou o rei. — Então, vou modificar a lei.

— Mas não pode — disseram-lhe os nobres. — Vossa Majestade fez a lei de maneira que não pudesse ser modificada.

O rei ficou desolado com o que fizera, pois amava Daniel e sabia que ninguém poderia assumir o seu lugar no reino. Até o fim do dia, quando o sol se pôs, procurou uma maneira de salvar-lhe a vida, mas, ao cair da noite, os nobre lembraram-lhe novamente que a lei precisava ser cumprida.

Muito entristecido, o rei mandou buscar Daniel e ordenou que ele fosse lançado à cova dos leões.

— Talvez o seu Deus, a quem você serve com tanta fé, o salve — disse-lhe Dario.

Conduziram Daniel até a boca de um fosso enorme, onde ficavam os leões, e o jogaram lá dentro. Depois, colocaram uma pedra imensa tampando a abertura do fosso. O rei a lacrou com seu selo de modo que ninguém ousasse retirá-la dali para libertar Daniel.

O rei Dario foi para o palácio, mas estava tão triste que não conseguiu comer nem ouvir a música de que tanto gostava. Tampouco conseguiu dormir, pois passou a noite inteira pensando no pobre Daniel.

Na manhã seguinte, levantou-se bem cedo e foi até a cova dos leões. Partiu o lacre e retirou a pedra. Com a voz muito pesarosa, chamou, não esperando ouvir alguma resposta senão os rugidos dos leões.

— Ó Daniel, o seu Deus o manteve a salvo? — indagou.

E das profundezas escuras da cova surgiu a voz de Daniel, dizendo:

— Ó rei, Deus me enviou um anjo para proteger-me, e fechou as bocas dos leões. Eles não me machucaram porque Deus viu que eu não havia cometido erro algum. E não cometi erro algum contra Vossa Majestade, ó rei!

O rei espiou dentro do fosso e viu Daniel de pé entre os leões famintos. Eles não lhe fizeram mal algum durante toda a noite porque ele havia confiado, no fundo do seu coração, que Deus o salvaria.

O rei Dario ficou radiante. Mandou seus criados retirarem Daniel da cova, e o bom homem foi trazido são e salvo. Em seguida, sob o comando do rei, os criados pegaram os nobres que haviam tramado contra Daniel e os jogaram no fosso. leões famintos saltaram sobre eles, dilacerando-os até não sobrar nada além dos ossos.

Então Dario enviou um recado a todos do reino, dizendo que deveriam louvar a Deus.

— Pois Ele é o Deus vivo, e Seu reino não terá fim — decretou.

Daniel reassumiu seu elevado posto no reino, e manteve a fé no Senhor.

O que Deus prometeu

Annie Johnson Flint

*É bom lembrar deste poema quando Deus
nos dá uma cruz para carregar.*

Deus não prometeu
Um céu sempre a brilhar,
Flores no caminho
Pela vida sem cessar.
Deus não prometeu
Sol sem tempestade,
Alegria sem tristeza,
Paz sem ansiedade.

Mas Deus prometeu
Forças para a jornada,
Descanso para o trabalho,
Luz para a estrada,
Clemência para as provações,
Ajuda lá de cima,
Solidariedade inabalável,
E Amor que não mais termina.

Onde há amor, Deus ali está

Leon Tolstói

Eis aqui um homem bom que vivencia o Evangelho.

Numa pequena cidade da Rússia, vivia um sapateiro chamado Martin. Ele tinha uma minúscula oficina no porão de uma casa. Através de uma janelinha, podia ver os pés de quem passava.

Uma noite, quando acabou seu trabalho, Martin pegou a lamparina, colocou-a sobre a mesa e sentou-se para ler a Bíblia. Leu a respeito do homem que convidou o Senhor para jantar em sua casa mas não O tratou bem. Martin tirou os óculos, colocou-os sobre a Bíblia e pôs-se a refletir.

— Se o Senhor viesse à minha casa, como eu iria me comportar? — ponderou. Então, apoiou a cabeça sobre os braços cruzados e, sem se dar conta, caiu no sono.

— Martin! — ouviu, de repente, uma voz chamando-o de perto.

O sapateiro despertou do sono e indagou:

— Quem está aí?

Virou-se e olhou na direção da porta, mas não havia ninguém. Então, ouviu novamente a voz:

— Martin! Olhe para a rua amanhã, pois eu virei.

Martin esfregou os olhos, porém não soube dizer se ouvira as palavras em sonho ou acordado. Apagou a lamparina e foi se deitar.

Na manhã seguinte, levantou-se cedo e rezou, e depois do café foi se sentar à janela. Ficou olhando para a rua enquanto trabalhava. Muitos sapatos diferentes passearam por ali.

Logo veio um homem chamado Stephen. Martin o reconheceu pelas botas surradas. Seu trabalho era tirar a neve das ruas com a pá. Estava velho e enfraquecido. Precisava parar para descansar a toda hora, pois não tinha mais forças.

Martin foi até a porta e o chamou.

— Entre e se aqueça um pouco — disse. — Tenho certeza de que está com frio.

— Deus o abençoe — respondeu Stephen. — Meus ossos estão doendo, para ser mais exato. — Cambaleante, ele entrou e foi se sentar junto ao fogo. Enquanto tomava chá quente, percebeu que Martin não parava de olhar pela janela.

— Está esperando alguém? — perguntou.

— Na verdade, não — Martin respondeu. — Bem, sabe de uma coisa? Ontem à noite, quando estava lendo minha Bíblia, comecei a cochilar e, de repente, ouvi alguém me chamar pelo nome. Depois, acho que ouvi alguém sussurrar: "Espere por mim. Virei amanhã." Tenho vergonha de admitir, mas agora não paro de achar que o bom Senhor está chegando.

Stephen terminou de tomar o chá em silêncio e se levantou para ir embora.

— Obrigado, Martin — disse. — Você me deu alimento e conforto para o corpo e a alma. — Ele se foi, e Martin voltou a se sentar à janela para trabalhar.

Logo passou uma mulher com calçados de camponesa. Martin olhou pela janela e viu que era uma desconhecida, mal-vestida, com um bebê no colo. Suas roupas estavam em farrapos, e ela mal tinha com que cobrir o bebê.

Martin foi até a porta e a chamou.

— Querida! Venha cá. Saia do frio. Coloque seu filho num lugar quente. — A mulher ficou surpresa ao ouvir o sapateiro chamar, porém atendeu e entrou com ele no minúsculo cômodo.

Martin a levou para perto do fogo e deu-lhe um pouco de sopa e pão. Ela parecia estar sentindo muito frio, e sua roupa era muito leve.

Enquanto a moça se alimentava, Martin foi ver se encontrava alguma coisa. Voltou trazendo um cobertor.

— Pegue — disse. — Está velho e surrado, mas vai servir para enrolar o bebê.

— Abençoado seja, amigo — disse a mulher com lágrimas nos olhos. Depois de ter se aquecido o bastante, despediu-se e foi embora.

Passado algum tempo, surgiu uma senhora, com um saco de maçãs às costas. Ela parou para descansar em frente à janelinha, e colocou o saco de maçãs no chão. Naquele exato momento, um garoto de boné esfarrapado correu para perto dela, pegou uma maçã e tentou escapar. Mas a mulher o viu e conseguiu agarrá-lo pela manga da camisa. Ela começou a puxar-lhe o cabelo, e o menino, a gritar. Martin correu até a porta e saiu à rua.

— Ai, me solta — gritava o menino. — Eu não fiz nada.

Martin apartou os dois.

— Deixe o menino, senhora. Ele não vai fazer isso de novo.

A senhora o soltou. O menino tentou escapar, mas Martin o impediu.

— Peça desculpas a ela — disse com firmeza. — E não faça isso de novo. Eu vi quando você pegou a maçã.

O menino começou a chorar e a pedir desculpas.

— Tudo bem — disse Martin. — Agora, tome uma maçã. Eu vou pagar por ela, minha senhora.

— Eu deveria entregar esse moleque à polícia — disse a mulher das maçãs.

— É um menino ainda — disse Martin. — Deus nos manda perdoar.

— É verdade — disse a mulher, soltando um suspiro. — Afinal, isso é coisa de criança.

Quando ela ia erguer o saco para colocá-lo às costas, o menino pulou à sua frente e disse:

— Deixe que eu carrego para a senhora. Estou indo para lá também. A mulher assentiu com a cabeça e colocou o saco nas costas do menino, e os dois partiram juntos.

Só depois que eles sumiram de vista, Martin entrou e se sentou para trabalhar. Logo começou a escurecer, então ele acendeu a lamparina e trabalhou até um pouco mais tarde. Depois de consertar uma bota, guardou as ferramentas e varreu o assoalho. Em seguida, colocou a lamparina sobre a mesa e pegou a Bíblia na prateleira.

Ao abri-la, o sonho de ontem lhe veio à mente, e, de repente, ele pensou ter ouvido passos atrás de si. Virou-se e teve

a impressão de que havia alguém na penumbra, no canto do quarto. Uma voz sussurrante lhe disse:

— Martin, você não me conhece?

— Quem é? — murmurou Martin.

— Sou eu — disse a voz. E do canto escuro surgiu Stephen, que sorriu e desapareceu como uma nuvem.

— Sou eu — disse a voz novamente. E do canto escuro surgiu a moça com o bebê no colo. A moça sorriu e o bebê soltou risadinhas, e os dois também desapareceram.

— Sou eu — disse a voz mais uma vez. Surgiram a mulher idosa e o menino com a maçã. Ambos sorriram e também desapareceram.

A alma de Martin se refez. Ele colocou os óculos e voltou a ler a Bíblia. No topo da página, ele leu:

Eu tinha fome, e tu me deste de comer. Eu tinha sede, e tu me deste de beber. Eu era um desconhecido, e tu me convidaste a entrar.

Alguns versos adiante, ele leu:

Ao fazer o que fizeste por um dos meus mais distantes irmãos, o fizeste por mim.

Então Martin compreendeu que seu sonho se realizara. O Salvador de fato viera até ele naquele dia, e Martin o acolhera.

A filha do capitão

James T. Fields

Quando alguém demonstra fé em Deus, outros poderão segui-lo.

Amontoados na cabine.
Dormir? Nem pensar.
Meia-noite e a tempestade,
Perigo em alto-mar.

No inverno, as tormentas
Destroem e não deixam rastro.
É um pavor quando o capitão grita:
— Vamos perder o mastro.

Nos calamos, com medo.
Até mesmo os mais fortes!
O mar rugia, e as ondas
Conversavam com a Morte.

Sentados na escuridão,
Cada qual com suas preces.
— É o fim! — diz o capitão,
E os marujos estremecem.

Sua filha pegou-lhe a mão
E se pôs a sussurrar:
— Assim como está na terra,
Deus no mar há de estar!

Demos vivas à menina,
Agora reanimados,
E fomos romper lindo dia
No porto, a salvo, ancorados.

Nos confins do mar

Hans Christian Andersen

O título desta belíssima história vem do Salmo 139.
Deus estará conosco aonde formos.

Alguns navios tinham sido mandados para o Polo Norte a fim de descobrir o que havia por lá. Atravessando o gelo e a névoa, eles enveredaram cada vez mais para o Norte. O inverno havia começado. O sol se pusera e os exploradores não tornariam a vê-lo durante muito tempo. Uma longa noite se estenderia por semanas a fio.

Uma vasta planície de gelo se espalhava em torno dos navios, e a neve se acumulava sobre o mar congelado. Os exploradores construíram casinhas de neve em forma de cúpulas, de tamanho suficiente para que dois ou três deles pudessem se esgueirar lá para dentro. Em meio à escuridão do céu, os fogos da natureza — a grandiosa Aurora Boreal — pipocavam em tons de vermelho e azul.

Numa ocasião, surgiram esquimós com seus trenós cheios de peles de animais para trocar. Os exploradores ficaram muito satisfeitos em poderem usar as peles como camas para se aquecerem dentro de suas casas de neve, enquanto lá fora ficava cada vez mais frio. Sabiam que era outono em sua terra natal e pensavam no sol e nas folhas vermelhas e douradas, ainda penduradas nas árvores.

Pelo relógio, sabiam que era hora de se recolher, e dois deles já tinham deitado para dormir. O mais jovem trazia consigo seu grande tesouro: a Bíblia que a avó lhe dera. Toda noite, guardava-a sob o travesseiro. Diariamente lia passagens dela, e ali deitado na cama pensou nestas palavras que tanto o reconfortavam: "Se tomo as asas da alvorada para habitar os confins do mar, mesmo lá teu caminho me guia, tua mão me sustenta."

    Essas palavras de fé estavam em seus lábios quando ele fechou os olhos e adormeceu. Com o sono, vieram os sonhos. Primeiramente, pareceu ouvir músicas que, em sua casa, tinha adorado. Soprava uma leve brisa de verão, e uma luz iluminou sua cama. Ele ergueu a cabeça e viu que a deslumbrante luz branca vinha das enormes asas de um anjo que o olhava, um anjo cujos olhos traziam o brilho do amor.

    O anjo parecia ter surgido das páginas da Bíblia. O rapaz abriu os braços, e as paredes da casa de neve desapareceram como névoa que se dissipa ante a luz do dia. As pradarias verdejantes e as florestas outonais de sua terra natal era o que havia ao seu redor, embebidas na quietude dos raios solares. O ninho da cegonha estava vazio, mas ainda havia maçãs na macieira selvagem. Um passarinho cantarolava na gaiola pendurada na janela de sua casa. Assobiava a cantiga que ele lhe havia ensinado, e sua avó lhe dava de comer tal como ele mesmo costumava fazer.

A bela filha do ferreiro tirava água do poço. Assim que acenou para a avó, a velha senhora a chamou, mostrando-lhe uma carta que chegara das terras frias do Norte, do próprio Polo Norte, onde se encontrava agora o neto, a salvo sob a mão protetora de Deus.

As duas mulheres, a velha e a jovem, riram e choraram ao ler a carta, e o jovem explorador, que dormia entre o gelo e a neve, com o espírito a vaguear pelo mundo dos sonhos, sob as asas do anjo, a tudo viu e ouviu, e riu e chorou com elas. Na carta, em voz alta, elas leram as seguintes palavras: "Mesmo nos confins do mar... tua mão me sustenta." As palavras soaram como a música mais doce e solene, e o anjo fechou as asas que envolveram o rapaz adormecido como um macio véu protetor.

O sonho acabou. Tudo estava escuro no interior da casinha de gelo, mas a Bíblia estava sob sua cabeça, enquanto a fé e a esperança lhe enchiam o coração. Deus estava com ele, e seu lar estava com ele, mesmo nos confins do mar.

A lenda de São Cristóvão

Deveríamos colocar as forças que Deus nos deu a serviço de Deus e de nossos companheiros de jornada.

Há muito tempo viveu um homem que, de tão alto e forte, parecia um gigante. Conseguia carregar qualquer fardo e por isso lhe deram o nome de Cristóvão, que significa "o Carregador". Cristóvão tinha muito orgulho de sua força e resolveu servir apenas ao imperador mais poderoso do mundo. Então foi para o castelo de um rei muito rico e poderoso.

— Grande monarca! — disse Cristóvão. — Desejo servir somente ao rei mais poderoso. Vossa Majestade me aceita?

O rei o acolheu calorosamente em seu castelo, e Cristóvão o serviu fielmente durante vários anos. Mas um dia ele viu o rei estremecer ante o nome de Satanás. Cristóvão lhe perguntou por que estava com medo.

— Temo Satanás pois ele é o Príncipe do Mal — disse o rei. — Disseram-me que ele domina o mundo.

— Se Vossa Majestade o teme, ele deve ser mais poderoso — Cristóvão falou com desdém. — Devo encontrá-lo, pois só quero servir ao mais grandioso de todos os dominadores.

Assim Cristóvão partiu em busca de seu novo amo. Viajou durante muitos dias até que chegou à tardinha a uma floresta escura. Ali, sentado sobre uma pedra enorme, estava o Príncipe do Mal.

— Estou em busca daquele que controla o mundo — anunciou destemidamente Cristóvão.

— Que bom! — gargalhou Satanás. — Pois o encontrou. Venha comigo; vou dar-lhe muito o que fazer.

O trabalho não era agradável. Resultava em causar problemas para os outros a cada minuto. Mas Cristóvão cumpria as ordens por acreditar que estava servindo ao rei mais forte.

Um dia, quando viajavam juntos, depararam-se com uma cruz mal talhada à beira da estrada. Imediatamente, Satanás saiu do seu caminho para contorná-la a distância, passando por cima de pedras e pelo matagal, e só voltou à estrada depois de deixar a cruz bem para trás.

— Por que fez isso? — perguntou Cristóvão, pois Satanás raramente se prestava a tanto trabalho.

— Não gosto de passar perto de cruz — admitiu Satanás. — Temo aquele cujo sinal ela representa.

O coração de Cristóvão saltou de júbilo.

— Qual é o nome dele? — indagou.

— Não ouso dizer seu nome — respondeu Satanás —, porém alguns o chamam de Príncipe da Paz.

— Se o teme, ele deve ser mais poderoso que você — Cristóvão falou. — Vou deixá-lo e passarei a servir a ele.

Outra vez, partiu em busca de um novo amo. Viajou muito, pois não conhecia o caminho, mas a esperança e a coragem nunca o abandonaram. Enfim, encontrou um homem, um velho eremita, que parecia saber como encontrar o Príncipe da Paz. Cristóvão contou-lhe a respeito de sua busca.

— Se conseguir encontrá-lo, vou servi-lo — disse ao ancião. Onde ele está? Se ele desejar, matarei todos os seus inimigos.

— Este não é o caminho — o eremita falou tranquilamente. — Este príncipe difere de todos os demais. Vou mostrar-lhe como servi-lo.

Ele conduziu Cristóvão à margem de um rio largo, com muita correnteza.

— Vários viajantes perderam a vida aqui, pois não há barco que possa com essas águas — disse. — Se você ficar nesta margem e levar as pessoas até a outra, estará servindo ao Príncipe da Paz. Ele ficará sabendo do seu serviço.

Então, Cristóvão construiu uma cabana à margem do rio e cortou um cajado bem forte para guiar seus pés entre pedras submersas, e ficou à espera dos viajantes. Sempre o encontravam à porta da cabana, pronto para carregá-los até o outro lado sobre seus ombros largos. Ano após ano, ele trabalhou, e nenhum viajante perdeu a vida. Parecia-lhe estranho estar servindo daquele modo. Às vezes ficava intrigado, e suspirava, querendo saber se o Príncipe da Paz realmente conhecia seu trabalho. Mas aqueles a quem ajudava tornavam-se seus amigos e ele nunca se sentia solitário.

Uma noite chegou uma violenta tempestade de chuva com vento. Cristóvão deitou-se para dormir na cabana, pois certamente não haveria viajante algum numa noite como aquela. Entretanto, ao fechar os olhos, ouviu um chamado baixinho.

— Cristóvão, você me levaria para o lado de lá do rio?

Ele foi até a porta e olhou para fora, mas não viu ninguém. Voltou para a cama e se deitou novamente. E ouviu o chamado novamente.

— Cristóvão, me leve para o outro lado do rio.

Ele pegou o cajado e desceu a margem do rio. Lá chegando, encontrou uma criança que implorou:

— Cristóvão, Cristóvão, me leve para o outro lado do rio ainda hoje à noite.

Cristóvão conhecia os perigos do rio numa tempestade como aquela, mas a criança o estava esperando. Então ele a colocou sobre os ombros e gritou:

— Segure-se em mim, meu pequeno, com força. — E entrou devagar no rio.

A correnteza estava mais rápida do que nunca. À medida que foi se aprofundando nas águas, Cristóvão sentiu o fardo ficando cada vez mais pesado, até o ponto onde começou a temer que ambos afundassem. Cada passo era mais difícil que o anterior. A água batia contra seu corpo e o vento rugia em seus ouvidos. Seu forte cajado se curvava quando ele se apoiava para prosseguir, e o rio nunca lhe parecera tão largo. Afinal, atingiu a outra margem, cansado e a salvo, e cuidadosamente retirou a criança dos ombros.

— Quem é você, meu menino? — falou, arfante. — Tive a impressão de estar carregando o peso do mundo inteiro.

— Não me conhece? — disse a voz doce. — Eu sou Aquele a quem você prometeu servir. Acaso não sabia que neste trabalho humilde e árduo de ajudar tantos viajantes cansados você estava me servindo todo o tempo? E de agora em diante não será apenas Cristóvão, o Carregador, mas sim São Cristóvão, o Carregador de Cristo, pois eu o aceitei como fiel servidor.

São Cristóvão caiu de joelhos e rezou em silêncio. Quando abriu os olhos, estava só à beira do rio. Levantou-se, pegou o cajado e voltou para o trabalho de ajudar viajantes até o fim de seus dias.

Orações matinais

Pela manhã, a oração é a chave que nos abre para as bênçãos de Deus.

Obrigado, Senhor, pelo repouso e o sono,
E por todas as coisas que neste mundo eu mais amo.
Ainda peço que me guie em mais um empreendimento
E abençoe o meu trabalho e o meu divertimento.
       Amém.

Pai, ajude-nos, as criancinhas,
A sermos tranquilas, sinceras e boazinhas,
Gentis, obedientes, modestas e singelas,
A escolhermos palavras, sempre as mais belas.

O que for certo, devemos buscar;
O que for errado, recusar.
Do que for mau, manteremos distância,
Todos nós, em qualquer circunstância.
       Amém.

Que as palavras de minha boca e a meditação de meu coração
Recebam a Sua acolhida,
Ó Senhor, minha força e meu redentor.
                                  Amém.

Três coisas, Senhor, eu pediria:
Conhecê-lo com mais clareza,
Amá-lo com mais pureza,
Com mais presteza servi-lo, todo santo dia.
                                  Amém.

A cura do paralítico

Quando temos fé, podem ocorrer milagres.
Eis a história de um homem que se salva pela fé de seus amigos.

Jesus viveu e ensinou durante algum tempo em Cafarnaum, uma cidade perto do Mar da Galileia. Um dia, uma multidão se dirigiu à casa onde ele estava para ouvir suas palavras. Logo a casa se encheu de gente. A multidão transbordava para o quintal e até mesmo para a rua.

Chegaram quatro homens carregando um amigo em cima de uma esteira. Este homem estava muito doente e não podia se mover. Os quatro amigos logo perceberam que não conseguiriam atravessar a multidão com ele do jeito que estava. Mas a ansiedade para ver Jesus era tanta que sequer pensaram em voltar atrás. Então, cometeram um ato de esperteza e ousadia.

Subiram ao topo da casa, levando consigo o amigo. Em seguida, puseram-se a retirar algumas telhas.

De dentro da casa, o povo todo olhou para cima, pois subitamente o cômodo se encheu de luz. Quatro rostos surgiram de um buraco no telhado. Logo desapareceram, e quatro pares de mãos começaram a baixar o doente para dentro da casa, com toda a delicadeza, exatamente onde estava Jesus.

A multidão prendeu a respiração. Jesus sorriu quando viu o homem paralisado sendo abaixado na esteira. Sabia que os outros quatro no telhado acreditavam nele e que não duvidavam que pudesse curar o amigo. Por causa da fé inabalável demonstrada por eles, disse ao paralítico:

— Levanta, pega tua esteira e vai para casa.

Na casa abarrotada de gente, houve quem debochasse.

— Quem esse tal de Jesus pensa que é? — sussurraram entre si. — Esse sujeito nunca vai andar.

Mas, de repente, pararam de sussurrar e ficaram boquiabertos. O doente, que momentos antes era incapaz de se mover, estava se mexendo. E ficou bom, de uma vez só. Pôs-se de pé, pegou a esteira onde estivera deitado e atravessou a multidão, que se abriu para sua passagem.

— Louvado seja Deus! — gritaram todos. — Nunca vimos coisa igual antes.

E assim continuaram a se espalhar notícias das curas e dos ensinamentos de Jesus.

O chamado de Samuel

Não podemos ouvir a voz de Deus com nossos ouvidos, mas sim com nossos corações.
Precisamos estar preparados para atender a seu chamado, como fez Samuel:
— Fala, Senhor, pois teu servo escuta.

Existia uma mulher chamada Ana que vivia numa região acidentada chamada Efraim. Ana era grata pelas muitas bênçãos de sua vida. Tinha uma boa casa e um ótimo marido chamado Elcana. Eles plantavam trigo e uva, e criavam ovelhas.

Mas havia uma coisa que não tinham: filhos. Ana adorava crianças, pois sabia serem a maior bênção de todas. Entristecia-se ao pensar que sua casa era tão vazia e quieta, e que não havia vozes de meninos ou meninas.

Era a época em que as pessoas começavam a aprender que todas as boas coisas são dadas por Deus. Ana sabia disso também, e pedia a Deus que lhe desse um filho. Depois de algum tempo, Deus enviou um filhinho para Ana e Elcana. Eles o chamaram de Samuel e o amaram muito, pois ele veio para atender às preces de sua mãe.

Samuel cresceu rápido, deixando logo de ser um bebê. Menino forte e sadio, era sempre um conforto para o pai e a mãe.

Um certo ano, quando Samuel ainda era menino, Ana decidiu que já era hora de ele começar a aprender a servir ao Senhor. Então, levou-o ao templo de Silo para ele ser instruído como padre. Seu coração sofreu ao separar-se do filho, porém sabia que ele aprenderia coisas maravilhosas morando na casa de Deus durante algum tempo. Deu-lhe um agasalho para vestir e, a cada ano, quando vinha visitá-lo, trazia-lhe outro maior, que tecia com as próprias mãos.

O templo era um lugar grande e tranquilo, muito diferente da casa de Samuel, que ficava na colina com vinhedos e árvores floridas. Mas o sacerdote, que se chamava Eli, era um homem muito bom. Cuidava muito bem de Samuel e lhe ensinou a obedecer à lei de Deus.

Eli envelheceu bastante e sua vista ficou tão fraca que ele quase não enxergava mais. Samuel dava todo jeito que podia para ajudá-lo com as obrigações. Uma lamparina ficava acesa no templo todas as noites. Samuel era responsável por mantê-la acesa durante toda a noite. Ele vigiava a lamparina e dormia no grande templo.

Que lugar solitário para um menino passar a noite! Era muito quieto e escuro, a não ser pela luz da lamparina. As pilastras altas projetavam no chão sombras compridas, que tremelicavam e pareciam quase vivas. Samuel conseguia ser corajoso e não sentir muitas saudades da mãe durante o dia, quando o sol brilhava e tudo estava claro. Mas, à noite, era como toda criança. Às vezes tinha medo do escuro.

Uma noite, já deitado, ouviu uma voz chamando:

— Samuel! Samuel!

— Estou aqui — respondeu.

Ele pulou da cama e foi até Eli.

— Estou aqui — disse. — Você me chamou.

— Não o chamei, Samuel — disse o velho. — Volte para a cama.

Então, Samuel voltou a se deitar, mas logo ouviu novamente a voz.

— Samuel! Samuel!

Correu outra vez para Eli, acordando-o.

— Estou aqui — disse. — Você me chamou.

— Não o chamei. Volte para a cama — disse Eli.

Samuel voltou para o templo escuro e se deitou, tentando dormir, mas pela terceira vez ouviu a voz o chamar.

— Samuel! Samuel!

— Eli, Eli, estou aqui. Você me chamou — gritou enquanto corria para o quarto do velho padre.

Desta vez, Eli compreendeu que fora a voz de Deus falando com Samuel. Então, disse ao menino:

— Volte para a cama; se Ele o chamar, responda: "Fala, Senhor, pois teu servo o escuta." — Então, Samuel voltou para a cama.

Deus o chamou mais uma vez:

— Samuel! Samuel!

Samuel respondeu, corajosamente, conforme Eli dissera-lhe para fazer.

— Fala, Senhor, pois teu servo o escuta.

Então, Deus falou com Samuel no templo, durante um longo período, contando-lhe coisas maravilhosas.

Samuel prestou bastante atenção. Quando a voz calou, ele não sentia mais medo, nem solidão. Agora sabia que nunca estava só, pois Deus estava com ele, mesmo no escuro. Dormiu sem medo até o amanhecer, quando chegou a hora de abrir as portas da casa do Senhor.

Samuel cresceu corajoso e bom, conforme as esperanças de sua mãe. Tornou-se um homem sábio, pois Deus lhe falava com frequência, e era conhecido por todo canto como um grande profeta.

O menino e o anjo

Deus escuta cada um de nós.
Esta história se baseia em um poema do grande poeta inglês Robert Browning.

Embora fosse apenas um menino, Teócrito precisava ganhar a vida. Varria o chão, e lavava pratos e pegava lenha. Seus dias eram cheios e o trabalho era árduo, mas seu espírito era forte e ele estava sempre cantando.

— Louvado seja Deus — cantava Teócrito. De manhã, de tarde e de noite, ele cantava enquanto trabalhava. Sua feliz cantoria lhe alegrava o próprio coração e o coração de quem estivesse por perto. E alegrava a Deus, que o escutava das alturas.

Um dia, enquanto Teócrito cantava em seu trabalho, um monge passou. O monge ficou tão tocado pela doçura e pelo êxtase daquele canto que parou para escutar um pouco.

— Muito bem, meu filho — disse. — Não tenho dúvida de que Deus escuta seu louvor. Tenho certeza de que fica tão satisfeito como se você fosse o próprio papa na Igreja de São Pedro, em Roma, a entoar os espirituosos hinos da Páscoa.

Teócrito estava feliz em seu trabalho, mas a ideia de cantar na grande catedral, em Roma, iluminou-lhe o rosto.

— Espero poder, um dia, antes de morrer, louvar a Deus na Igreja de São Pedro — disse.

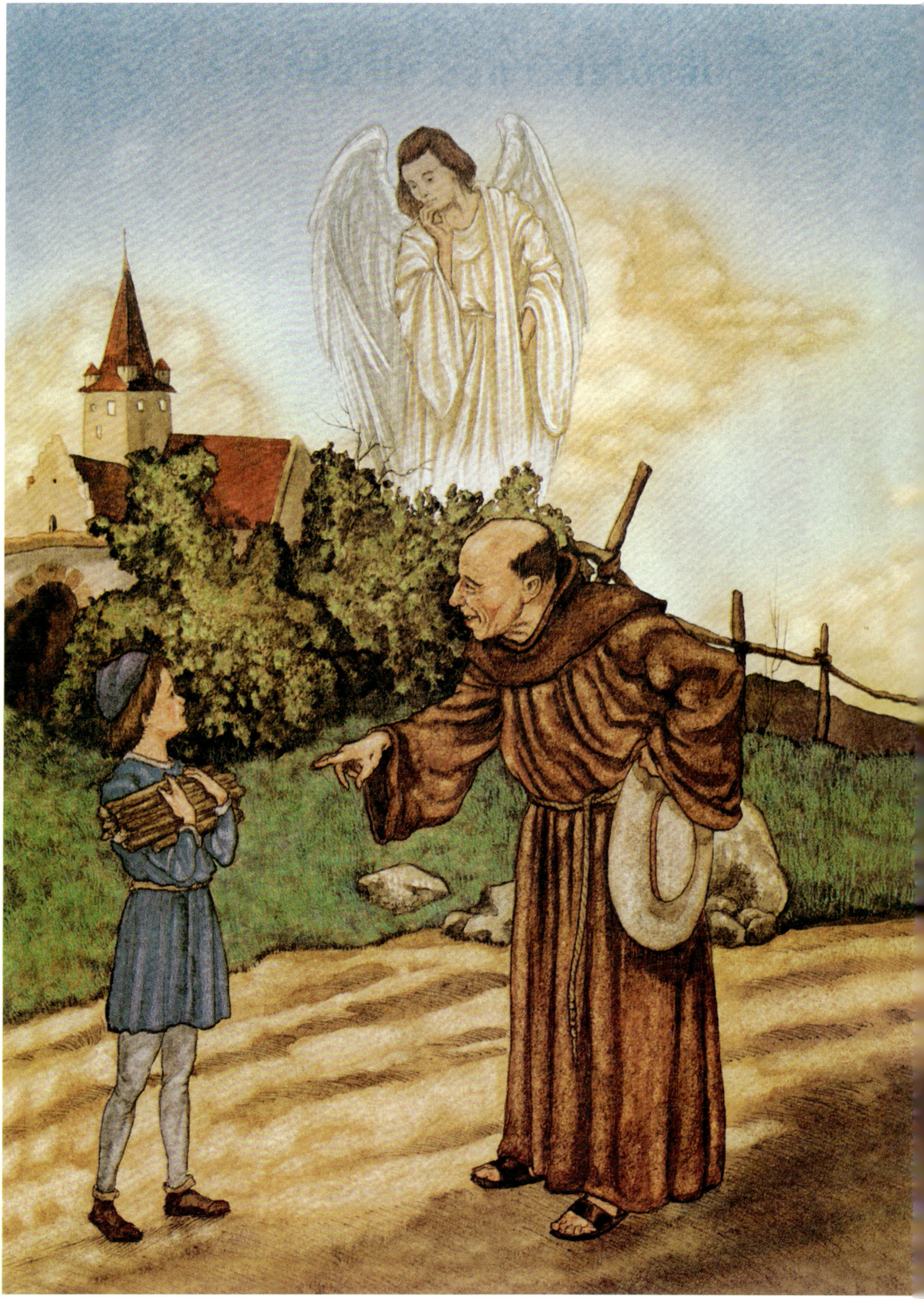

Ora, mas acontece que o anjo Gabriel entreouviu o desejo.

— Que ideia maravilhosa! — disse consigo mesmo. — O canto de louvor entoado por Teócrito é tão agradável que ele bem poderia, um dia, ser um papa maravilhoso.

Na manhã seguinte, Teócrito já não estava mais em seu lugar de sempre. O anjo o havia levado a Roma de modo que pudesse crescer e se tornar o novo papa para enfim cantar na Igreja de São Pedro.

Mas logo Deus disse:

— Por que será que não estou ouvindo a voz do pequeno Teócrito a cantar enquanto trabalha?

Ouvindo isso, o anjo Gabriel abriu as asas e baixou à terra. Tornou-se um menino como Teócrito, assumindo seu lugar da melhor maneira que pôde. Conseguiu fazer o trabalho do menino sem dificuldades, e tentou também entoar seus cânticos de louvor. Mas isto ele não conseguiu.

— Estou ouvindo um canto de louvor, mas é perfeito demais — disse Deus. — Não é o mesmo cantar de Teócrito. Sinto falta da minha vozinha humana.

Então, o anjo Gabriel tirou o disfarce. Ninguém consegue substituir de fato outro alguém, e até o anjo Gabriel descobriu que não conseguia preencher totalmente o lugar do menino.

Gabriel voou para Roma e parou acima da cúpula da Igreja de São Pedro. Agora, Teócrito havia crescido: era um homem adulto, o novo papa. Era Páscoa, e ele estava prestes a entoar seu canto de louvor a Deus na grande catedral.

— Eu o tirei de seu trabalho e o transformei no papa em Roma — Gabriel lhe disse —, mas foi tudo um erro. Não fiz bem. Você poderia ser um grande papa, mas ninguém pôde assumir seu lugar na antiga casa.

"Saí da minha esfera angelical para fazer o seu trabalho", explicou. "A sua voz me parecia fraca, entretanto eu não consegui substituir seu canto.

"Todas as vozes da terra se erguem em coro maravilhoso ao ouvido de Deus. Sem você, o grande coro não foi o mesmo. Ele sentiu falta do seu pequeno canto de louvor.

"Volte comigo para a antiga casa e o velho trabalho, Teócrito. Volte à sua infância e entoe novamente os seus cantos de louvor a Deus."

E assim Teócrito voltou a ser o menininho que cantava feliz enquanto trabalhava, e envelheceu em sua própria casa.

Jamais entoou os cânticos de louvor a Deus na Igreja de São Pedro, em Roma. Porém, anos mais tarde, quando morreram, ele e o novo papa foram lado a lado para o céu.

A ovelhinha perdida

Aos olhos de Deus, todos contam. Esta história se baseia em Lucas 15, 3-7.

A ovelhinha era a mais nova de seu rebanho.

Era tão pequenina, com pouca lã ainda e as perninhas finas. À noite, dormia no cercado, aconchegada à pelagem espessa da mãe. Passava o dia mordiscando a relva, e bebendo água do riacho, e brincando pela campina.

— Cuide de mim — tentava dizer ao pastor do rebanho. — Sou pequena demais e ainda fraquinha para cuidar de mim mesma.

O pastor compreendia e ficava de olho nela, embora tivesse cem ovelhas no rebanho.

Era um bom pastor; caso contrário, não daria conta de tantas ovelhas. Toda manhã, abria a porteira do cercado e elas saíam atabalhoadamente. Ele então as conduzia para um pasto verdejante no alto de uma colina, onde passava o dia a vigiá-las. Havia lobos nas montanhas das redondezas à espera de uma boa oportunidade para capturar uma delas. Ele os mantinha afastados.

Quando o sol começava a baixar por trás da colina, o bom pastor conduzia seu rebanho de volta para o cercado. E, antes de fechar a porteira, sempre contava para ver se havia cem ovelhas.

Uma tempestade num lugar alto é algo terrível. Um dia, houve uma tempestade com vendaval, e chuva gelada, e raios cruzando o céu. As ovelhas ficaram assustadíssimas, sem saber para onde ir. Soltaram balidos enquanto desciam a colina, mais atrapalhadas que nunca. Mas o pastor as conduziu com calma, apontando-lhes a direção com o cajado. Ele as foi chamando pelos nomes que lhes dera, preocupado, primeiramente, em evitar que a tempestade as apanhasse. E logo se avistou o cercado.

Enquanto as ovelhas passavam pela porteira, ele as foi contando, uma a uma.

Havia apenas noventa e nove.

O pastor olhou para as ovelhas trêmulas ali dentro e logo se deu conta de qual se perdera na tempestade.

Se não fosse um bom pastor, talvez achasse que uma ovelha pequena como aquela não seria perda tão grande. Mas só pensou no frio que ela estaria sentindo com sua lã tão escassa no meio da tempestade. Lembrou-se também que, além da tempestade, ouvira o uivo dos lobos.

Então, o bom pastor partiu, enfrentando o vento e a chuva, para encontrar a ovelhinha.

Estava tão escuro que ele mal podia enxergar. O vento soprava frio, a chuva encharcava sua capa e as pedras cortavam-lhe os pés. Qualquer outro pastor teria voltado. Mas o bom pastor havia prometido cuidar dela. Desse modo, prosseguiu até encontrá-la, deitadinha à beira da estrada, gélida e assustada.

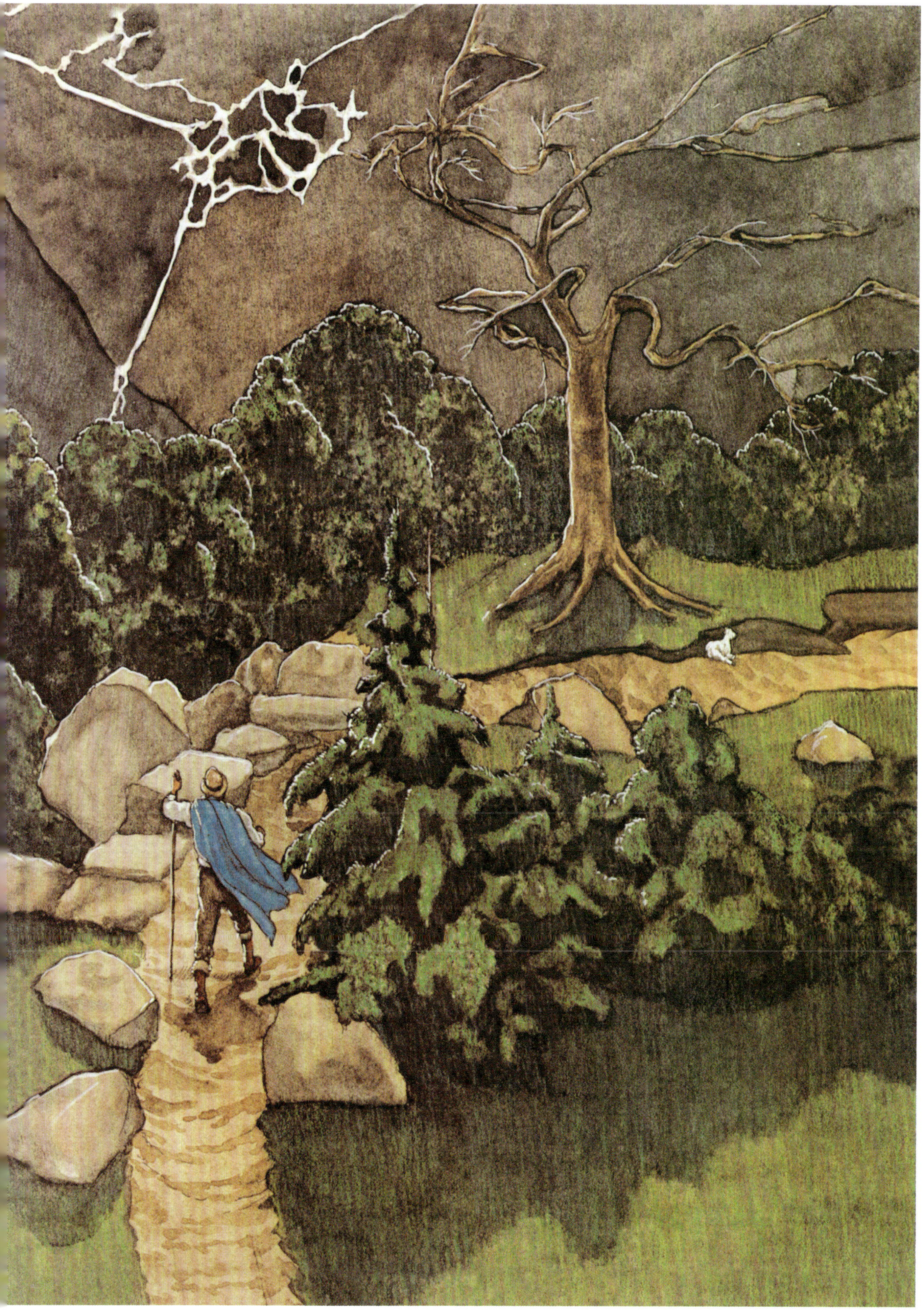

O pastor a pegou no colo. Ela estava com frio demais para andar. Ele a levou com todo o cuidado, como uma mãe leva o próprio bebê. Ele ficou muito feliz quando chegou ao cercado. Convidou os vizinhos para partilharem de sua alegria por não ter perdido uma ovelha sequer do rebanho.

Eles ficaram intrigados com tanta alegria.

— Noventa e nove é quase cem — disseram. — Que diferença faria uma ovelhinha tão pequena num rebanho tão grande?

O bom pastor sabia. A pequenina que se perdera era uma das suas ovelhas, e ele amava todas.

O vigésimo terceiro salmo

Nós pertencemos a Deus, e Ele cuidará de nós.

O Senhor é meu pastor; nada me faltará.

Em verdes campos me faz descansar: conduz-me a águas tranquilas.

Recupera minha alma: leva-me pelo caminho da retidão em seu nome.

Ainda que eu caminhe pelo vale das trevas da morte, não temerei mal algum: pois o Senhor está comigo; seu cetro e seu cajado me confortam.

Prepara-me a mesa diante de meus inimigos: unge-me de óleo a cabeça; faz-me transbordar a taça.

A bondade e a misericórdia me acompanharão em cada dia de minha vida: e habitarei para sempre a casa do Senhor.

O Gigante Egoísta

Oscar Wilde

Deixem vir a mim as criancinhas, e não as impeça, pois delas é o reino de Deus. — Marcos 10, 14

Toda tarde, ao voltarem da escola, as crianças costumavam ir ao jardim do Gigante para brincar. Era um belo jardim, muito agradável, com grama verdinha e macia, lindas flores e doze pessegueiros com botões cor-de-rosa e perolados.

— Que alegria! Que felicidade! — gritavam elas.

Um dia o Gigante voltou. Ele fora visitar seu amigo Ogro e só retornou sete anos depois. Ao chegar, viu crianças brincando no jardim.

— O que estão fazendo aqui? — gritou rispidamente e as crianças saíram correndo.

— O jardim é meu — disse o Gigante. — Ninguém pode brincar aqui, a não ser eu.

Ele então construiu um muro alto ao redor e pendurou uma placa: *Proibida a entrada. Propriedade particular.* Era um Gigante muito egoísta.

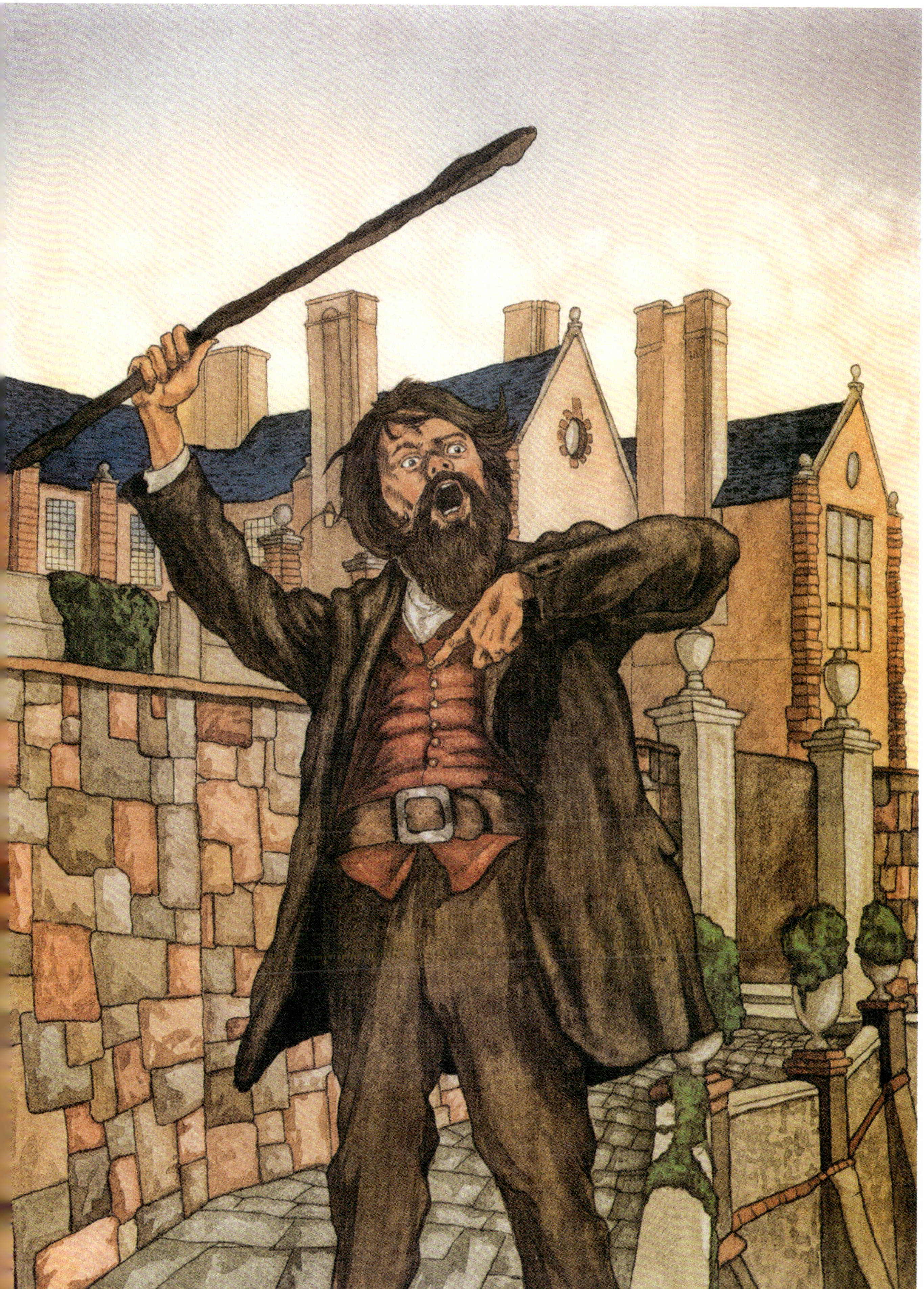

Assim, as crianças ficaram sem ter onde brincar. Puseram-se, então, a passear em torno do muro e conversar sobre a beleza do jardim.

— Era uma felicidade brincar lá dentro! — elas diziam.

Então, chegou a Primavera, com flores brotando e passarinhos esvoaçando por todo canto. Somente no jardim do Gigante Egoísta ainda era Inverno. Os passarinhos não queriam cantar já que não havia crianças ali, e as árvores se esqueceram de florescer. As únicas pessoas que ficaram satisfeitas com isso foram a Neve e a Geada. Elas disseram:

— A Primavera se esqueceu do jardim dele, de modo que vamos viver aqui o ano inteiro.

A Neve cobriu o gramado com seu grande manto branco e a Geada pintou todas as árvores de prateado. Convidaram o Vento do Norte e o Granizo para ficarem ali com elas também.

— Não consigo entender por que a Primavera está demorando tanto para chegar — disse o Gigante Egoísta. — Espero que o tempo mude.

Mas a Primavera não vinha nunca, nem o Verão, nem o Outono.

— Ele é egoísta demais — diziam.

Assim, lá era sempre Inverno, e o Vento do Norte e o Granizo e a Geada e a Neve dançavam entre as árvores.

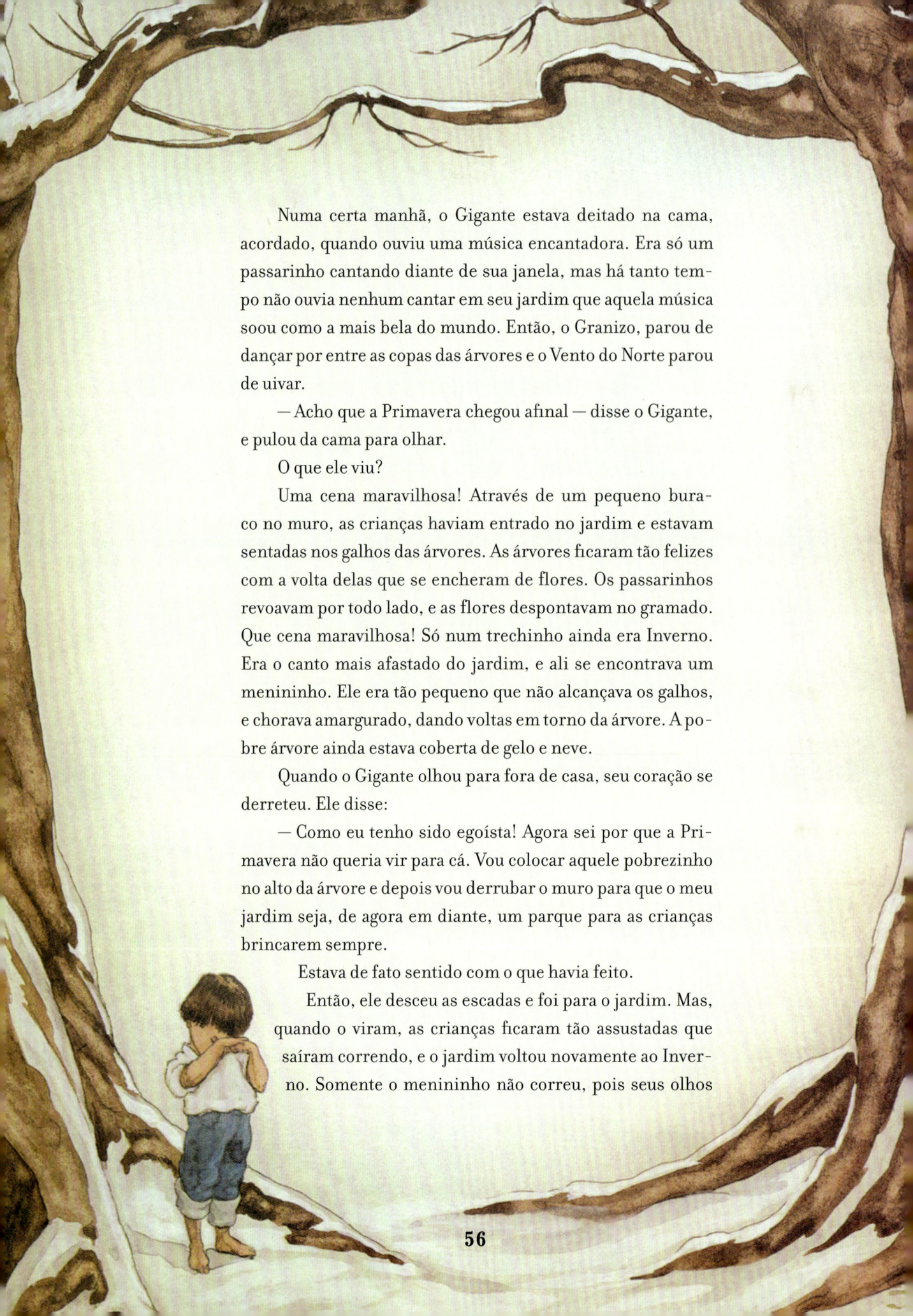

Numa certa manhã, o Gigante estava deitado na cama, acordado, quando ouviu uma música encantadora. Era só um passarinho cantando diante de sua janela, mas há tanto tempo não ouvia nenhum cantar em seu jardim que aquela música soou como a mais bela do mundo. Então, o Granizo, parou de dançar por entre as copas das árvores e o Vento do Norte parou de uivar.

— Acho que a Primavera chegou afinal — disse o Gigante, e pulou da cama para olhar.

O que ele viu?

Uma cena maravilhosa! Através de um pequeno buraco no muro, as crianças haviam entrado no jardim e estavam sentadas nos galhos das árvores. As árvores ficaram tão felizes com a volta delas que se encheram de flores. Os passarinhos revoavam por todo lado, e as flores despontavam no gramado. Que cena maravilhosa! Só num trechinho ainda era Inverno. Era o canto mais afastado do jardim, e ali se encontrava um menininho. Ele era tão pequeno que não alcançava os galhos, e chorava amargurado, dando voltas em torno da árvore. A pobre árvore ainda estava coberta de gelo e neve.

Quando o Gigante olhou para fora de casa, seu coração se derreteu. Ele disse:

— Como eu tenho sido egoísta! Agora sei por que a Primavera não queria vir para cá. Vou colocar aquele pobrezinho no alto da árvore e depois vou derrubar o muro para que o meu jardim seja, de agora em diante, um parque para as crianças brincarem sempre.

Estava de fato sentido com o que havia feito.

Então, ele desceu as escadas e foi para o jardim. Mas, quando o viram, as crianças ficaram tão assustadas que saíram correndo, e o jardim voltou novamente ao Inverno. Somente o menininho não correu, pois seus olhos estavam cheios de lágrimas e ele não viu o Gigante chegando.

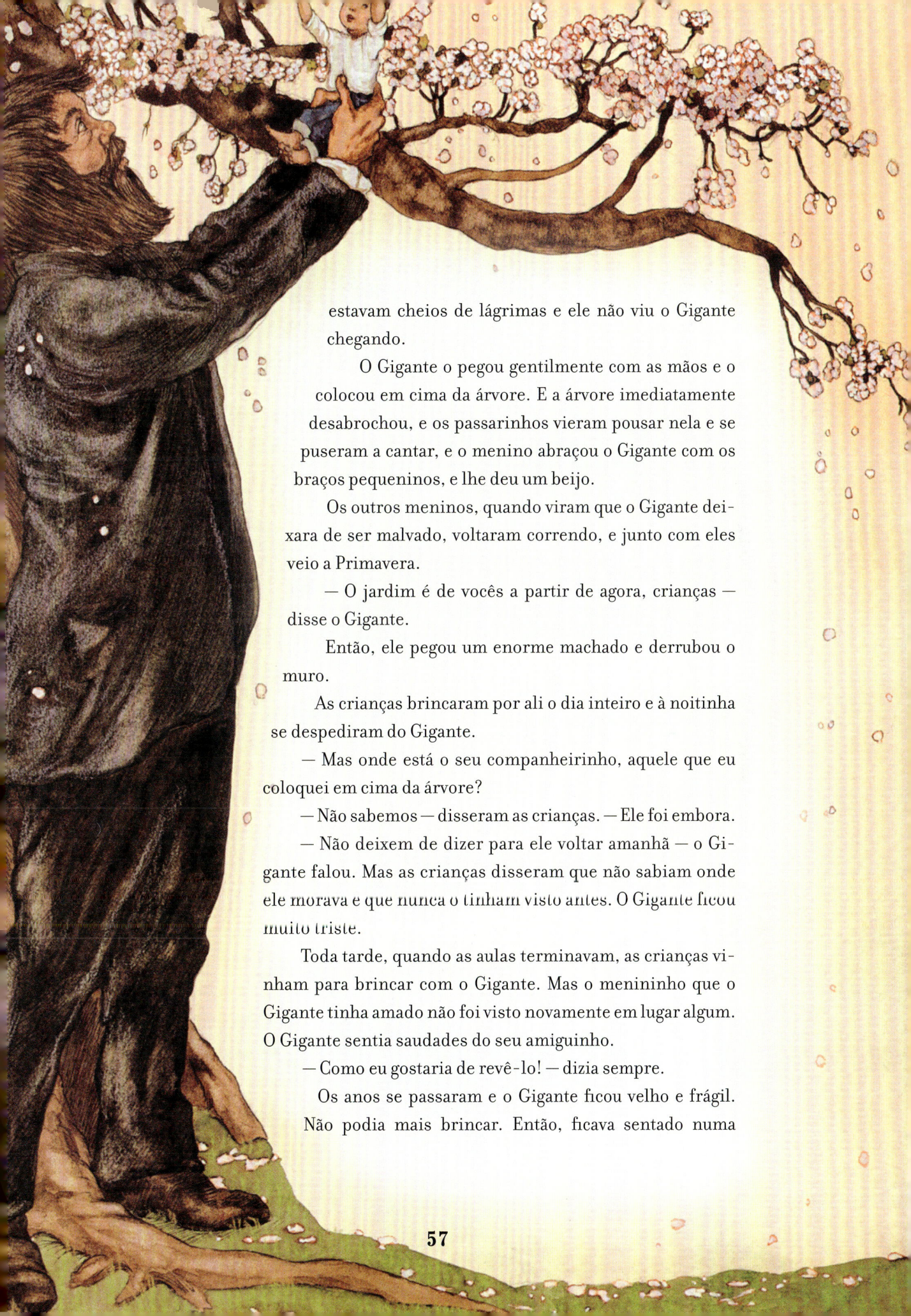

O Gigante o pegou gentilmente com as mãos e o colocou em cima da árvore. E a árvore imediatamente desabrochou, e os passarinhos vieram pousar nela e se puseram a cantar, e o menino abraçou o Gigante com os braços pequeninos, e lhe deu um beijo.

Os outros meninos, quando viram que o Gigante deixara de ser malvado, voltaram correndo, e junto com eles veio a Primavera.

— O jardim é de vocês a partir de agora, crianças — disse o Gigante.

Então, ele pegou um enorme machado e derrubou o muro.

As crianças brincaram por ali o dia inteiro e à noitinha se despediram do Gigante.

— Mas onde está o seu companheirinho, aquele que eu coloquei em cima da árvore?

— Não sabemos — disseram as crianças. — Ele foi embora.

— Não deixem de dizer para ele voltar amanhã — o Gigante falou. Mas as crianças disseram que não sabiam onde ele morava e que nunca o tinham visto antes. O Gigante ficou muito triste.

Toda tarde, quando as aulas terminavam, as crianças vinham para brincar com o Gigante. Mas o menininho que o Gigante tinha amado não foi visto novamente em lugar algum. O Gigante sentia saudades do seu amiguinho.

— Como eu gostaria de revê-lo! — dizia sempre.

Os anos se passaram e o Gigante ficou velho e frágil. Não podia mais brincar. Então, ficava sentado numa imensa poltrona, assistindo às brincadeiras das crianças e admirando o jardim. Dizia:

— Tenho muitas flores lindas. Mas as crianças são as mais belas de todas.

Numa certa manhã de Inverno, olhou pela janela enquanto se vestia. Não detestava o Inverno agora, pois sabia que era apenas a Primavera adormecida e que as flores estavam simplesmente descansando.

De repente, viu uma maravilha. No canto mais afastado do jardim, havia uma árvore coberta de flores brancas. Os galhos estavam dourados, com frutas prateadas presas a eles, e lá embaixo estava o menininho a quem tinha amado.

O Gigante saiu correndo cheio de alegria para o jardim. Cruzou o gramado e se aproximou do menino. Quando chegou bem perto, seu rosto se enrubesceu de raiva e ele falou:

— Quem ousou machucá-lo?

As mãos do menino exibiam marcas de dois pregos, e havia marcas de dois pregos também em seus pezinhos.

— Quem ousou machucá-lo? — gritou o Gigante. — Diga-me, pois vou pegar a minha grande espada e liquidar quem fez isso.

— De forma alguma! — respondeu o menino. — Pois estas são as marcas do Amor.

— Quem é você? — Uma estranha sensação de espanto se apossou dele e o Gigante se ajoelhou diante da criança.

O menininho sorriu para o Gigante e lhe disse:

— Uma vez você me deixou brincar em seu jardim. Hoje você irá comigo ao meu jardim, o Paraíso.

E, de tarde, quando vieram brincar no jardim, as crianças encontraram o Gigante morto embaixo da árvore, todo coberto de flores brancas.

Babuska

Edith M. Thomas

Na Rússia, dizem que Babuska deixa presentes nas casas das boas crianças na véspera do Natal. Esta antiga história nos lembra que, se nos surge uma chance de servir a Deus, devemos aproveitá-la.

Babuska está perto do fogo
Numa noite fria e escura.
A ventania agita a neve lá fora,
A cabana é aconchegante e segura.
Os ventos uivantes só atiçam
Do fogo, na lareira, a quentura.

Ela ouve batidas à porta.
Tarde assim, quem pode ser?
Corre para abrir a tranca de madeira
(Medo ela não há de ter).
A vela apagada pelo vento ainda permite
Que os três juntos ela consiga ver.

As barbas são brancas, pela idade
E pela neve que cai na escuridão.
Os cabelos brancos são compridos,
Mas seus olhos ternos são.
Reluzem naqueles rostos desconhecidos
Como estrelas na imensidão.

— Babuska, viemos de longe.
Chegamos para lhe contar:
Esta noite nasceu um Príncipe
Que o mundo Ele há de mudar.
Venha, junte-se a nós e vamos
Estas dádivas Lhe entregar.

Babuska estremece à porta:
— Muito me agradaria ir também
Para conhecer o pequeno príncipe

Que um dia há de ser Rei.
Mas, que frio! Está nevando e ventando.
E velha assim, meus senhores, eu não irei.

Sem dizer nada, os três vão embora.
Desaparecem na borrasca, de vez.
Babuska volta pra junto do fogo,
Remoendo sua insensatez.
— Ai, se eu tivesse indagado,
O caminho encontraria, talvez!

— Ao amanhecer, com a bendita luz,
Bem cedo vou acordar.
De cajado na mão, vou — quem sabe? —
Aqueles três ultrapassar.
E, ademais, uns brinquedos
Para a Criança vou levar.

De manhã, empunhando o cajado, Babuska
Resolveu a neve enfrentar.
A todos que encontrava, o caminho perguntava.
Mas ninguém o sabia, nem por onde começar.
— Deve ser um pouco mais longe — dizia.
— Então, ainda tenho o que andar.

E ainda se diz na véspera do Natal,
Quando a neve se acumula aos montes,
De cajado em punho e cesta na mão,
Atrás da Criança, Babuska vai longe.
Em toda porta ela é vista
Com um ar ressabiado na fronte!

Em toda porta, deixa presentes,
E se curva, a murmurar baixinho,
Por cima de cada criança meio escondida
Atrás dos travesseiros tão branquinhos:
— E Ele está aqui? — mas ela suspira e conclui:
— Não, preciso andar ainda mais um pouquinho.

Prece de agradecimento

A tudo dê graças. — I Tessalonicenses 5, 18

Deus é grande, Deus é bom,
Nos dá a comida que nos sacia.
Sua mão nos alimenta — Obrigado!
Dá-nos, Senhor, nosso pão de cada dia.
                Amém.

Todas essas coisas, tanta fartura,
Nos são enviadas das alturas.
Então, agradecemos ao Senhor, ó Senhor,
Por todo o Teu amor.
                Amém.

Obrigado, Pai, por nosso lar,
Pais e mães bons e sinceros,
Mais ainda, por Teu Filho eterno,
Sua vontade tentemos realizar.
> Amém.

Abençoa-nos, ó Senhor, e essas dádivas Tuas,
Que abundantes recebemos,
Pelo Cristo nosso Senhor.
> Amém.

A história da "Graça maravilhosa"

Deus nos dá seu amor, mesmo quando não o merecemos.
Quando o retribuímos, isso modifica nossas vidas, rompe o poder
do pecado e nos liberta para fazer o bem.

John Newton se agarrou à grade para se salvar. Ondas gigantescas varriam o convés e quase o arrastavam para o mar. O vento zunia e surrava as velas alquebradas. O navio emitiu um grunhido horroroso, como se estivesse prestes a sucumbir sob a espuma das águas.

Agarrado à grade, ele pensou na vida que levara. Sabia-se um homem mau, insensível. Raramente via algo de bom no mundo; só tinha olhos para o que era ruim. Mentira a vida inteira para os amigos, fugira do dever, e caçoara de Deus.

John era marinheiro e trabalhava para o tráfico negreiro. Um negócio cruel, horrível! Os marinheiros pegavam homens, mulheres e crianças da África e os acorrentavam. Depois, levavam-nos para serem vendidos como escravos na América. John nunca se preocupou com o que acontecia aos escravos. Só pensava em si.

Agora, a tempestade terrível o assolava na escuridão da noite. O mar batia forte e relâmpagos riscavam o céu. Uma montanha d'água se quebrou contra o barco, fazendo-o rodopiar e abrindo-lhe um rombo no casco.

Os marujos correram para as bombas e tentaram retirar a água, mas o mar continuava vencendo. O navio era chacoalhado pelas ondas enormes. "Vamos naufragar", pensou John. "Morreremos todos afogados."

Um pensamento pipocou em sua mente: um ensinamento que sua mãe lhe passara ainda em criança. Ela dissera: "Deus te ama. Tenha fé em Deus." "Será que Deus seria capaz de amar alguém como eu?", John pensou, intrigado. Tentando apanhar um pouco de fôlego, ele bradou ao vento:

— Senhor, tende piedade de nós.

O navio se inclinou violentamente, mas não naufragou. Aos poucos, as ondas imensas foram abrandando. Os ventos se dissiparam e as nuvens começaram a se abrir. Olhando para as estrelas, John não pôde evitar a pergunta: "Por que Deus iria salvar um miserável como eu? Talvez queira que eu faça alguma coisa."

Com o passar dos anos, John pensava cada vez mais na tempestade. Sabia que Deus o estava chamando para ser um homem melhor. Então, desistiu da vida no mar, voltou para a Inglaterra e dedicou-se a servir a Deus, como sacerdote.

Mas nunca conseguia esquecer o passado. Pensava nos escravos que transportara acorrentados no navio, e se arrependeu de seu pecado. "Como posso ajudar a endireitar as coisas?", rogou. John sabia que não poderia trazer de volta todas aquelas pessoas vendidas como escravos, mas podia tentar evitar que outros navios ingleses o fizessem. Começou a falar com todos sobre o horror daquela prática. Com a ajuda de Deus, trabalhou duro e, afinal, a Inglaterra aprovou uma lei que proibia o tráfico de escravos.

Até o fim de seus dias, John Newton levou no coração o fascínio de que Deus o salvara dos caminhos tortuosos. Sabia que Deus o amava. E escreveu este hino de agradecimento e louvor, que é adorado pelo mundo afora nos dias de hoje.

Graça maravilhosa
Salvou a mim, o infeliz.
Estava cego, agora soube.
Não mais perdido entre os vis.

A graça fez meu coração temer,
E pela graça meus temores deixei,
Mais preciosa ainda foi quando,
Pela primeira vez, acreditei!

Perigo, labor, ardil,
Tudo isso atravessei.
Valeu-me a graça até aqui.
Pela graça, ao lar retornarei.

Promessas me fez o Senhor,
Nele fio a esperança.
Será meu escudo e pendor
Durante minha aventurança.

O passeio de Santo Agostinho à beira do mar

Esta lenda nos lembra que há muitas coisas que podemos aprender e saber, mas também há coisas que devemos deixar com Deus.

Santo Agostinho foi um dos homens mais sábios e cultos. Adorava ler e estudar, e adorava pensar em Deus. Era capaz de passar horas a fio ponderando sobre a criação de Deus e seus caminhos misteriosos.

Um dia, Santo Agostinho caminhava à beira do mar. O dia estava lindo, praticamente sem nuvem alguma no céu. O sol dourado refletia na água. Com a brisa que soprava, as gaivotas pairavam no ar, chamando umas às outras. As ondas vinham bater alegremente na praia.

Mas Santo Agostinho não percebeu de fato o azul do céu, ou o sol reluzente, ou o chamado das gaivotas. Estava imerso em pensamentos. Queria saber a resposta para todo tipo de pergunta. Por que Deus deixa coisas ruins acontecerem de vez em quando? Por que não podemos vê-lo? Onde fica o paraíso? Eram questões difíceis, mas Santo Agostinho esperava ser capaz de compreender o grande desígnio de Deus se pensasse nelas com afinco.

Pensou muito, mas não conseguiu descobrir as respostas. Quanto mais pensava, menos sabia. Depois de algum tempo, começou a ficar triste e até um pouco chateado por não conseguir compreender tantas coisas que Deus faz.

Então, ele encontrou um menino que havia cavado um buraco na areia. O menino ia até o mar, enchia um balde de água e o trazia para jogá-la no buraco, depois voltava correndo para trazer mais.

Ora, quem já foi à praia sabe que a areia não contém a água. Se você cava um buraco e joga água dentro dele, a água simplesmente é chupada pela areia no fundo do buraco. Por mais que jogue água, você nunca irá conseguir encher o buraco.

O menininho estava trazendo um balde de água após o outro para dentro do buraco que cavara. Não cansava de jogar água lá dentro, e voltava correndo para pegar mais.

Santo Agostinho o observou a distância durante algum tempo. Depois, foi até ele e perguntou:

— O que você está fazendo, meu filho?

O menino não se surpreendeu com a pergunta e respondeu:

— Vou jogar toda a água do mar dentro deste buraco.

— Mas isso é impossível — disse Santo Agostinho com um sorriso. — Não dá para fazer isso.

O menino olhou para ele.

— Está certo — disse o menino, tranquilamente. — Da mesma forma que não dá para entender todos os mistérios de Deus.

De repente, Santo Agostinho compreendeu a verdade daquelas palavras simples. Então reparou que não fora uma criança que lhe falara, mas sim um belo anjo.

Toda a tristeza deixou seu coração, que se encheu de alegria. Ele abaixou a cabeça, fechou os olhos e deu graças, pois se apercebeu de que muitos dos atos de Deus devem continuar sendo um mistério para nós. Não podemos entendê-los, por mais que tentemos. Para nós é impossível conhecer todo o plano de Deus, tal qual é impossível verter todo o enorme oceano dentro de um buraco na areia. Então, precisamos ter fé e acreditar.

Quando Santo Agostinho levantou a cabeça e abriu os olhos, estava só com o mar e a areia e o céu.

Uma luz a nos guiar

Tua palavra é lâmpada para meus pés e luz para meu caminho.
— Salmos 119, 105

Numa noite, uma menininha e seu pai estavam caminhando por uma estrada do interior. Era o tipo de noite em que a lua e as estrelas se escondem por trás das nuvens. A menina levava uma lanterna que iluminava o caminho por onde iam andando, mas, além do facho de luz, tudo era escuridão. Ora viam-se os vultos sombrios das árvores e dos arbustos à beira da estrada, ora não havia nada exceto a vastidão dos campos.

— Estou com medo — disse a menininha.

— Por quê? — perguntou o pai.

— Porque a luz só mostra um pedaço do caminho — ela respondeu. — Todo o resto está escuro.

— É verdade — disse o pai. — Mas se continuarmos andando, a luz seguirá conosco e nos ajudará a ver para onde estamos indo até o fim da nossa jornada.

E, sem dúvida, a luz os manteve na estrada. Pouco a pouco, passo a passo, foi lhes mostrando o caminho até que chegaram em casa sãos e salvos.

A nossa fé é como uma luz que podemos carregar conosco. Ela nos dá coragem e nos ajuda a encontrar o nosso caminho na vida. Não nos mostra tudo que queremos saber, mas nos leva adiante, um passo de cada vez. Quando temos fé, talvez só consigamos ver um pedaço do caminho adiante, mas também sabemos que Deus nos dará luz suficiente para toda a jornada.

O menino que trouxe luz para um mundo de trevas

Louis Braille não descansou até encontrar uma forma de alfabetizar os cegos. Sua fé, coragem e dedicação mudaram a vida de milhões de pessoas em todo o mundo.

Mais do que qualquer outra coisa, o jovem Louis Braille queria ler. Morria de vontade de abrir um livro depois de outro para conhecer todas as maravilhosas histórias que eles traziam. Mas Louis era cego desde os três anos de idade. Não podia ver o céu azul, ou a grama verde, ou as páginas de um livro. Vivia num mundo de trevas.

Todos no vilarejo de Coupvray tomavam conta do menininho cego. Prestavam atenção às batidas de sua bengala e sorriam quando o viam chegar. Interrompiam seus afazeres para ajudá-lo a atravessar a rua ou a dobrar uma esquina. Ajudavam-no a contar quantas batidas da bengala eram necessárias para chegar ao mercado ou ao fim da cidade.

Louis costumava sentar-se para conversar com o bom padre no jardim da paróquia local. Padre Palluy lia histórias da Bíblia e lhe dizia sobre o que fazer para ser corajoso.

— Por que Deus precisou me tornar cego? — Louis perguntou.

O padre respondeu:

— Eu não sei, mas você precisa ter fé. Eu acredito que Deus tenha alguma coisa especial para você fazer na vida.

Há muito tempo, crianças cegas não podiam ir à escola como os outros meninos e meninas. O padre Palluy foi conversar com o diretor da escola.

O padre disse:

— Louis é um menino inteligente. Aprende rápido. Merece uma chance.

O diretor contestou:

— Mas se ele não consegue ver os livros, não conseguirá lê-los. Como irá acompanhar as aulas?

Padre Palluy retrucou:

— Dê-lhe uma chance. Ele vai arranjar um jeito.

Então, Louis começou a frequentar a escola com outros meninos e meninas do vilarejo. Prestava bastante atenção à professora, e os colegas de classe se revezavam na leitura do material para ele. Louis conseguia se lembrar de tudo, e logo estava entre os primeiros de sua turma.

Ainda assim, não estava totalmente satisfeito com seus estudos. Queria ser capaz de ler livros e escrever cartas, como seus colegas.

Um dia, o padre Palluy lhe trouxe uma novidade importante.

— Existe uma escola para crianças cegas em Paris. Eles têm um livro especial que os cegos conseguem ler.

Louis mal pôde acreditar no que ouviu. Implorou para que seus pais o mandassem para essa escola maravilhosa, e o padre os ajudou a conseguir dinheiro para pagar as mensalidades.

Assim, aos dez anos de idade, Louis viajou com o pai para Paris, onde o menino começou a estudar no Instituto Nacional para Crianças Cegas. Logo que chegou, já foi fazendo às novas professoras a pergunta que vinha fervilhando em sua mente.

— Eu vou aprender a ler?

As professoras tinham feito alguns livros com letras grandes em alto-relevo. Tateando as letras com os dedos, os alunos cegos conseguiam reconhecer palavras e frases. Mas era uma leitura desajeitada e lenta. Louis ficou decepcionado.

Entretanto, empenhou-se ao máximo nos estudos e aprendeu rapidamente em sua nova escola. Gostava especialmente de música e aprendeu a tocar órgão. Com sua audição apurada, dedos ágeis e memória aguçada, tornou-se um bom músico. Passava horas a fio no órgão da igreja vizinha, tocando hinos e música sacra.

À medida que os anos foram passando, não parou de pensar se haveria um jeito de fazer os cegos aprenderem a ler, e até mesmo escrever. Às vezes, passava noites acordado, pensando e repensando o problema. Lembrava-se de algumas palavras que o padre Palluy lera para ele na Bíblia: "Que haja luz!" Está claro que Deus deseja que a luz do conhecimento brilhe para todos.

Louis rezava:

— Por favor, Deus, ajude-me a encontrar uma forma de alfabetizar os cegos.

E não parava de pensar, tentar, e experimentar ideias diferentes. Nenhuma delas funcionava.

— Você está desperdiçando seu tempo com esses sonhos. O que você busca é impossível — diziam-lhe alguns dos colegas.

Mas Louis tinha prometido a Deus jamais desistir.

Até que certo dia Louis soube de um sistema elaborado por um oficial do exército francês que consistia em pontos e traços marcados em alto-relevo sobre o papel que servia para os soldados enviarem mensagens à noite. Uma ideia prontamente surgiu em sua mente. Talvez esse tipo de escrita pudesse ajudar os cegos a ler. "E se eu criar um padrão de minúsculos pontos em alto-relevo marcados em uma folha de papel, que sirva de suporte para as letras?"

Ele foi correndo para o quarto e perfurou várias vezes uma folha com um palitinho. Depois virou a página ao avesso e correu os dedos sobre os relevos.

— É isso! — gritou. — Se os padrões forem suficientemente pequenos, os dedos poderão ler rapidamente. Só preciso de um padrão diferente para cada letra.

E trabalhou, meses a fio. Ficava acordado até tarde, procurando e testando novos padrões, até que acabava caindo no sono em cima das ferramentas e dos papéis. Afinal, aprontou um código para todas as letras do alfabeto.

— Agora vamos ver se funciona. — Perfurou uma sequência de letras e leu em voz alta, correndo seus dedos sobre os relevos no papel: — Meu nome é Louis Braille.

Ele caiu de joelhos, baixou a cabeça e sussurrou:

— Obrigado, Senhor, por atender às minhas preces. Agora haverá um toque de luz para aqueles que vivem num mundo de trevas.

Louis levou anos trabalhando para aperfeiçoar seu método. A notícia de sua ideia foi se espalhando de um país para outro. Cegos do mundo inteiro começaram a utilizar o sistema dos pontos ressaltados de Louis Braille para ler e escrever e aprender. Finalmente, os livros tornaram-se parte de suas vidas; tudo por causa de um menino que manteve a fé e dedicou a vida a encontrar um caminho. Ele abriu as portas do conhecimento para aqueles que não podem ver.

O manto de São Martinho

Esta famosa história de Martinho de Tours, santo padroeiro da França, se passa na época do Império Romano. Ela nos faz recordar que Deus quer que compartilhemos uns com os outros.

Fazia muito frio e nevava naquele dia, na cidade de Amiens, na França. Os ventos de inverno sopravam forte e formavam-se flocos de gelo nas árvores. Pequenas multidões se acotovelavam no mercado e as ruas estavam tomadas pelo barulho de passos esmigalhando a neve enrijecida. Os comerciantes, cada qual à porta de sua loja, conversavam entre si. Passou um jovem estudante imerso em seus próprios pensamentos, depois uma jovem criada procurando a patroa, em seguida um mercador rico com pressa de chegar em casa. Todos estavam encasacados contra o frio cortante.

Ao lado de um portão nas muralhas da cidade, encontrava-se um mendigo esfarrapado. Quase não tinha o que vestir. Tremendo de frio, mantinha a mão esticada, pedindo esmolas. Ninguém lhe dava muita atenção. Passavam sem lhe dispensar sequer um olhar. Algumas pessoas chegavam a mudar de lado da rua para não terem de passar perto dele.

De repente, ouviu-se o cavalgar de cavalos se aproximando pela estrada. Os soldados do imperador voltavam para o interior da cidadela depois de circundarem as muralhas. Riam e brincavam entre si, e lançavam olhares orgulhosos ao povo que parava para vê-los passar a galope.

Quando cruzaram o portão da cidade, o mendigo trêmulo estendeu a mão. Os soldados passaram por ele sem interromper o galope, pensando nas lareiras quentes que os esperavam no quartel. Somente um deles, um jovem soldado chamado Martinho, puxou as rédeas do cavalo. Uma sombra de tristeza tomou seu rosto quando viu o pobre mendigo congelando de frio. Não pôde evitar o desespero no olhar do homem.

Enquanto via os camaradas se afastarem em suas garbosas montarias, Martinho tentou imaginar como poderia ajudá-lo. Não tinha dinheiro em sua bolsa, mas sentiu que precisava fazer alguma coisa.

Então, ocorreu-lhe uma ideia. Ele afrouxou do pescoço o grande manto militar que trazia sobre os ombros e o segurou no ar com uma das mãos. Com a outra, sacou a espada e cortou o agasalho ao meio. Inclinou-se na sela e, com uma palavra gentil, depositou uma das metades sobre os ombros do mendigo. Em seguida, embainhou a espada, jogou a outra metade do agasalho sobre os próprios ombros e partiu a galope atrás dos companheiros.

Alguns dos jovens oficiais riram de Martinho quando ele se juntou, com o manto rasgado sobre os ombros, ao resto do grupo.

Mas outros desejaram ter pensado em fazer o mesmo que ele fizera.

Naquela noite, Martinho teve um sonho, no qual viu Jesus no céu, cercado de uma companhia de anjos, e o Salvador estava usando a metade do manto de um soldado romano.

— Senhor, por que está usando um manto rasgado? — perguntou-lhe um dos anjos. — Quem lhe deu isso?

E, delicadamente, Jesus respondeu:

— Esta roupa foi Martinho quem me deu.

Faze de mim um instrumento da tua paz

Conforme nos faz lembrar esta prece, fé é fazer.
Trata-se de fazer o desejo de Deus.

Senhor, fazei de mim um instrumento de vossa paz.
Onde houver ódio, que eu leve o amor,
Onde houver ofensa, que eu leve o perdão.
Onde houver discórdia, que eu leve a união.
Onde houver dúvida, que eu leve a fé.
Onde houver erro, que eu leve a verdade.
Onde houver desespero, que eu leve a esperança.
Onde houver tristeza, que eu leve a alegria.
Onde houver trevas, que eu leve a luz.

Ó Mestre,
Fazei que eu procure mais
Consolar que ser consolado;
Compreender que ser compreendido;
Amar que ser amado.
Pois é dando que se recebe,
É perdoando que se é perdoado,
E é morrendo que se vive para a vida eterna.

Míriam e o cesto flutuante

O Livro do Êxodo conta como Moisés conduziu o povo hebreu à liberdade no Egito. Inicia com a maravilhosa história de uma menininha que resgata seu irmão ainda bebê. Às vezes, Deus nos conclama a grandes atos de bravura. Nossa fé nos dá a coragem que precisamos.

Esta história se passa há muitíssimos anos, quando o povo hebreu vivia nas terras do Egito. Naquela época, os hebreus eram escravos do rei do Egito, que era chamado Faraó. Do nascer ao pôr do sol, trabalhavam arduamente para o Faraó, arando o solo, abrindo valas, fazendo tijolos e construindo grandes templos. Era um trabalho extenuante, e eles sofriam muito.

O Faraó passava os dias na janela do palácio assistindo aos hebreus trabalharem sob o sol forte. Embora levassem uma vida dura, eles continuavam crescendo, em número e força, e isso amedrontava o Faraó. Então, ele fez algo terrível: ordenou que todo bebê nascido em lar hebreu deveria ser tirado de casa e jogado no rio Nilo. Com essa crueldade, esperava conter o crescimento daquele povo. As mães e os pais choravam amargurados e tentavam esconder seus filhos dos soldados do Faraó.

Nesse momento, uma hebreia chamada Iocheved deu à luz um lindo menininho. Durante três meses, manteve o bebê escondido dos soldados do Faraó. Mas toda vez que passava alguém, ela se apavorava. Sabia que, se ouvissem seu choro, os soldados o levariam.

— Ó Deus — rogava —, salve o meu precioso bebê.

Acontece que Iocheved também tinha uma filhinha chamada Míriam. Ela era uma menina valente e esperta, e gostava do irmãozinho mais do que qualquer coisa neste mundo. Iocheved e Míriam tramaram juntas um plano secreto. Foram até o rio e recolheram um bocado de juncos e teceram um cesto. Depois, cobriram-no de lama e betume, para que a água não se infiltrasse. Quando terminaram, beijaram o neném, e puseram-no dentro do cesto, que deixaram, então, flutuar na correnteza do rio. E ele se foi, perto da margem, em segurança, oculto pelo junco alto, qual uma pequena arca.

— Quero que você fique aqui um pouco — Iocheved disse à filha. — Observe o bebê para ver o que acontece.

Então, Míriam se escondeu atrás de uma moita e ficou de guarda. Soprava uma brisa tranquila ao longo da margem, fazendo o junco sussurrar e suspirar. Os passarinhos revoavam pelos arredores. Logo acima, um enorme crocodilo soltou um ronco mas não se aproximou. O cestinho balançava em paz na superfície da água. Míriam ficou observando, atenciosamente, sabendo, no fundo do coração, que Deus estava olhando por seu irmãozinho.

Passado algum tempo, ela ouviu vozes e passos. Sem sair de seu esconderijo, espiou e, em seguida, conteve o fôlego. A filha do Faraó estava vindo para o rio com suas criadas; vinha se banhar. A bela princesa caminhou pela margem do rio, seguida pelas criadas, conversando e rindo.

De repente, a princesa egípcia avistou algo flutuando em meio ao junco.

— Rápido, traga aquele cesto para cá — ordenou a uma de suas criadas. — Quero ver se tem alguma coisa dentro.

O coração de Míriam disparou. Uma das criadas da princesa entrou no rio e trouxe o cesto para a margem.

A princesa se inclinou sobre o cesto e escutou um gemido de bebê. Dois bracinhos se esticaram em sua direção. Ela olhou para o rostinho minúsculo e se encheu de piedade e amor pelo lindo menino.

— Ora, é um bebê hebreu! — exclamou a princesa. — Está com fome, pobrezinho. — Ela sorriu e secou as lágrimas daquele rostinho lindo.

Míriam permanecia escondida em sua moita, tentando pensar em alguma coisa. A princesa parecia ser uma boa mulher. Decerto não deixaria o bebê morrer. Então, Míriam reuniu toda a sua coragem e saiu do esconderijo.

— Posso tentar encontrar uma hebreia para dar de mamar ao bebê e cuidar dele, princesa? — perguntou à filha do Faraó, com a voz clara e firme.

— Pode — disse a princesa. — Vá encontrar uma ama de leite para mim.

O coração de Míriam se encheu de alegria. Ela foi correndo para casa e contou à mãe tudo o que havia se passado. Elas se abraçaram e beijaram, e depois voltaram para onde estava a princesa.

— Pegue essa criança e a amamente para mim — disse a princesa. — Vou pagá-la pelo serviço.

Iocheved pegou o bebê no colo e o abraçou com carinho. Sentiu o coraçãozinho batendo através da manta, e mal conseguiu conter as lágrimas. Ninguém poderia fazer mal ao seu filho agora, pois ele estava sob a proteção da princesa do Egito, a própria filha do Faraó.

Daquele momento em diante, os soldados egípcios não ousavam ir à casa de Iocheved. Sob os cuidados e o carinho da própria mãe, o bebê cresceu forte e saudável. Sua irmã, Míriam, estava sempre presente também. Ela cantava e brincava com ele, e o ajudou a aprender a andar, a falar e a fazer todas as coisas que os bebês precisam aprender.

Mais crescido, o bebê foi morar no palácio real. A princesa o tratava como se fosse seu próprio filho e o chamou de Moisés.

Embora tenha se criado entre egípcios, Moisés sempre amou seu próprio povo. Eram apenas pobres escravos, mas ele os amava pois serviam ao Senhor. Muitos anos mais tarde, já adulto, Moisés se tornou um grande líder do povo hebreu. Conduziu-os do Egito de volta para sua terra natal, tendo ao lado a corajosa e sábia irmã Míriam.

Ele há de ouvir

JANE TAYLOR

Deus nos ouve mais facilmente quando nos esforçamos para lhe falar.

Deus é tão bom que há de ouvir
O que humildemente uma criança lhe pedir.
Sempre estará pronto a escutar
Mesmo a menor delas a orar.

Seu próprio Livro Sagrado indica:
Ele ama as criancinhas, tanto,
E escuta quando uma lhe suplica
Qual pai carinhoso lhe enxuga o pranto.

A semente

Conforme diz um hino: Nós aramos os campos e espalhamos na terra as boas sementes, mas elas são alimentadas e aguadas pela todo-poderosa mão de Deus. Todas as boas dádivas à nossa volta nos são enviadas dos céus.

Num aconchegante dia de outono, uma menininha jogou uma semente num buraco no solo, cobriu-a e esperou que sua flor crescesse.

Não demorou muito e as neves do inverno chegaram, deitando uma espessa manta branca sobre o chão. E a pobre sementinha não conseguiu crescer.

Depois de esperar pacientemente durante semanas e meses a fio, a menininha espiou pela porta de sua casa e disse:

— Ora, sementinha, cresça logo, cresça, cresça, vamos, até que seu talo esteja grande, coberto de folhas verdes e flores amarelas.

Mas a semente respondeu:

— Ainda estou gelada e com frio. Você vai ter de pedir a outra pessoa.

— A quem? — perguntou a menininha.

— Ao chão duro onde estou — disse a semente.

— Então eu vou pedir — disse a menininha. — Chão, chão, será que você pode amolecer para que a minha sementinha se aqueça e se torne uma flor?

Mas o chão respondeu:

— Você vai ter de pedir a outra pessoa.

— A quem? — perguntou a menininha.

— À neve que me cobre — disse o chão.

— Então eu vou pedir — disse a menininha. — Neve, neve, será que você pode derreter para que o chão amoleça, para que a minha sementinha se aqueça e se torne uma flor?

Mas a neve respondeu:

— Você vai ter de pedir a outra pessoa.

— A quem? — perguntou a menininha.

— Ao sol que me derrete — disse a neve.

— Então eu vou pedir — disse a menininha. — Sol, sol, será que você pode sair para que a neve derreta, e o chão amoleça, para que a minha sementinha se aqueça e se torne uma flor?

Mas o sol respondeu:

— Você vai ter de pedir a outra pessoa.

— A quem? — perguntou a menininha.

— Às nuvens que me cobrem — disse o sol.

— Então eu vou pedir — disse a menininha. — Nuvens, nuvens, será que vocês podem ir embora para que o sol saia, e a neve derreta, e o chão amoleça, para que a minha sementinha se aqueça e se torne uma flor?

Mas as nuvens responderam:

— Você vai ter de pedir a outra pessoa.

— A quem? — perguntou a menininha.

— Ao vento que nos sopra — disseram as nuvens.

— Então eu vou pedir — disse a menininha. — Vento, vento, será que você pode soprar para que as nuvens vão embora, e o sol saia, e a neve derreta, e o chão amoleça, para que a minha sementinha se aqueça e se torne uma flor?

Mas o vento sussurrou em seu ouvido:

— Você vai ter de pedir a outra pessoa.

— A quem? — perguntou a menininha.

— A Deus, que faz tudo crescer — disse o vento.

— Então eu vou pedir — disse a menininha. — Eu deveria ter pensado nisso.

Então ela se ajoelhou, juntou as mãos e rezou.

— Deus — ela pediu —, será que você pode pedir ao vento que sopre para que as nuvens vão embora, e o sol possa sair, e a neve derreter, e o chão amolecer, para que a minha sementinha se aqueça e se torne uma flor?

E Deus sorriu para a menininha.

Ela tornou a olhar pela porta de casa. Começava a soprar uma brisa quente. As nuvens se foram, o sol estava saindo, a neve estava derretendo e o chão amolecendo e ficando verde.

E não demorou até que sua flor nascesse.

Minha dádiva

Christina Rossetti

Ouro e prata não tenho; mas o que tiver eu darei. — Atos 3, 6

Pobre como sou,
O que posso Lhe dar?
Fosse eu um pastor,
Daria uma ovelha.
Fosse eu um sábio,
Daria a minha contribuição.
Mas o que posso Lhe dar?
Darei o meu coração.

Por que os sinos tocaram

RAYMOND ALDEN

Atos de bondade não passam despercebidos lá em cima, mesmo que não sejam vistos pela multidão aqui embaixo.

Existia num país distante uma igreja maravilhosa com uma torre de pedra cinza, com trepadeiras subindo pelas paredes até onde se podia enxergar. Na torre, ficavam os sinos de Natal da igreja. Foram pendurados ali quando se construiu a igreja centenas de anos antes, e eram os sinos mais bonitos do mundo.

Durante muito tempo, na véspera do Natal, todos da cidade traziam à igreja suas ofertas para comemorar o nascimento do menino Jesus. Quando a maior e melhor oferta era colocada no altar, as vozes dos sinos de Natal começavam a soar em meio à música do coro. Havia quem dissesse que o vento os tocava, mas havia quem dissesse, também, que eles estavam tão altos que os anjos conseguiam fazê-los balançar.

Mas o fato foi que se passaram anos a fio sem que ninguém os ouvisse tocar. Havia um velho morador dos arredores da igreja que dizia que sua mãe falava em tê-los ouvido quando menina. Mas agora dizia-se que as pessoas estavam menos atentas aos presentes que traziam para o menino Jesus, e que nenhuma das ofertas era grande o suficiente para merecer a música dos sinos.

O povo ainda vinha para o altar na véspera do Natal, cada um tentando trazer presentes melhores que os demais, embora ninguém de fato desse algo que realmente quisesse para si. A igreja se enchia de gente que achava que talvez os sinos pudessem ser ouvidos novamente. Mas, embora a missa fosse maravilhosa e as ofertas abundantes, somente o barulho do vento se ouvia nas alturas da torre de pedra.

Pois bem, a vários quilômetros de distância da cidade, num vilarejo do interior, viviam um menino, chamado Pedro, e seu irmãozinho. Num ano, eles resolveram ver a belíssima comemoração.

Na véspera do Natal estava fazendo um frio de amargar, com alguns solitários flocos de neve no ar, mas os dois meninos partiram para assistir à comemoração de Natal. Antes do cair da noite, haviam caminhado tanto que já avistavam as luzes da cidade à frente.

Estavam prestes a entrar na cidade quando viram algo escuro sobre a neve à margem do caminho e saíram de seu trajeto para olhar. Era uma pobre mulher que havia caído. Estava tão doente e com tanto frio, que sequer conseguiu entrar em algum lugar para buscar abrigo.

Pedro se ajoelhou ao lado dela e puxou-lhe o braço. Experimentou esfregar-lhe neve no rosto, mas ela nem se mexeu. Ficou olhando para ela em silêncio um instante e, em seguida, se levantou.

— Não adianta, irmãozinho — disse. — Você terá de ir para a igreja sozinho.

— Sozinho? — gritou o irmão. — E você não vai à festa de Natal?

— Não — disse Pedro, sem conseguir conter na garganta um engasgo desapontado. — Veja esta pobre mulher! Vai morrer congelada se ninguém cuidar dela. Tente chegar ao altar sem atrapalhar as pessoas e coloque esta moeda de prata como minha oferta quando ninguém estiver olhando.

Então, ele mandou o irmãozinho entrar correndo na cidade e piscou com força para conter as lágrimas enquanto ouvia o barulho cada vez mais distante de suas pegadas esmigalhando a neve à luz do crepúsculo. Era muita dureza perder o esplendor da música e das comemorações do Natal para ficar naquele campo isolado na neve.

Naquela noite, a enorme igreja estava realmente deslumbrante. Todos diziam que ela jamais estivera tão iluminada e linda. Quando o órgão tocou e o povo cantou, as paredes reverberaram com o som, e o pequeno Pedro, lá fora da cidade, sentiu a terra vibrar ao seu redor.

Depois da missa, as pessoas levaram seus presentes para o altar. Houve quem trouxesse joias maravilhosas, cestos tão cheios de ouro que as pessoas mal podiam com eles. Um grande escritor levou um livro que vinha preparando havia anos. E por fim veio o rei, como os demais, na esperança de ganhar o tinir dos sinos de Natal.

Ouviu-se um murmúrio por toda a igreja quando as pessoas viram o rei tirar da própria cabeça a brilhante coroa real, incrustada de diamantes e outras pedras preciosas, e colocá-la sobre o altar como presente de honra ao menino Jesus.

— Na certa vamos ouvir os sinos agora — disseram.

Mas só se ouviu o vento frio na torre, e as pessoas ficaram sacudindo as cabeças. Algumas chegaram até a dizer que nunca tinham acreditado de fato na história dos sinos e duvidavam que eles algum dia tivessem tocado.

As comemorações chegaram ao fim. Os presentes estavam sobre o altar, e o coro começou a entoar o hino de encerramento. De repente, o organista parou de tocar, e todos olharam para o velho pastor, que estava parado em seu lugar, levantando a mão para pedir silêncio. Ninguém na igreja fez barulho algum, mas quando apuraram os ouvidos para escutar, ecoou pelos ares, baixinho, mas com toda clareza, o tilintar dos sinos da torre.

Tão distante, mas tão clara foi a música, de notas tão doces como nunca se ouvira antes, surgindo e desaparecendo sob os céus, que as pessoas continuaram sentadas dentro da igreja, absolutamente imóveis por alguns instantes. Então se levantaram juntas e olharam para o altar a fim de ver que presente extraordinário havia despertado os sinos inertes.

Mas tudo que os mais próximos conseguiram enxergar foi a minúscula figura do irmãozinho de Pedro, que havia percorrido silenciosamente o corredor quando ninguém estava olhando e colocado a moedinha de prata de Pedro no altar.

Amar Jesus

Charles Wesley

A fé nos ensina a sermos bons enquanto crescemos.

Ó Jesus, com Tua humildade e esperança,
Olha por esta criança.
Faze-me terno, igual a Ti,
Vive no meu coração, bem aqui.
Põe minha mãozinha na Tua,
Guia meus pezinhos na rua,
Para que todos os meus dias de amor
Entoem lindos cantos de louvor,
E o mundo em mim possa sempre ver
O Sagrado Menino Jesus renascer.

Preces para dormir

Na hora de dormir, as preces são a chave que fecha nosso dia e nos relembra dos cuidados de Deus.

Agora me deito para dormir,
Rogo ao Senhor minha alma assistir.
Caso eu morra antes de acordar,
Rogo ao Senhor minha alma levar.
Amém.

Pai Celestial, atende meu pedido,
Recebe este filho como Teu protegido.
Que Teus anjos iluminados e puros
Façam da minha uma noite segura!
Amém.

Abençoado Senhor, agradecemos
Por todos os Teus cuidados.
Faze-nos bons e gentis,
Leva de nós os pecados.
Abençoa os amigos que nos amam,
Resguarda-os de todo mal.
E que os Teus anjos sagrados
Nos guardem o sono, afinal!
          Amém.

Nada ouço, nada sinto,
O brilho da glória não vejo,
Mas, no claro ou escuro, eu pressinto:
Deus está por perto.
Sempre atento ao meu lado,
Ele escuta minhas preces.
O Pai cuida do filho
De dia e depois que anoitece.
          Amém.

Pai-nosso

Qual Cristo nos ensinou, ousamos a dizer...

Pai nosso que estais no céu,
Santificado seja o Vosso nome;
Venha a nós o Vosso reino,
Seja feita a Vossa vontade,
Assim na terra como no céu.
O pão nosso de cada dia nos dai hoje.
Perdoai-nos as nossas ofensas,
Assim como nós perdoamos
A quem nos tem ofendido.
E não nos deixeis cair em tentação,
Mas livrai-nos do mal.
Amém.

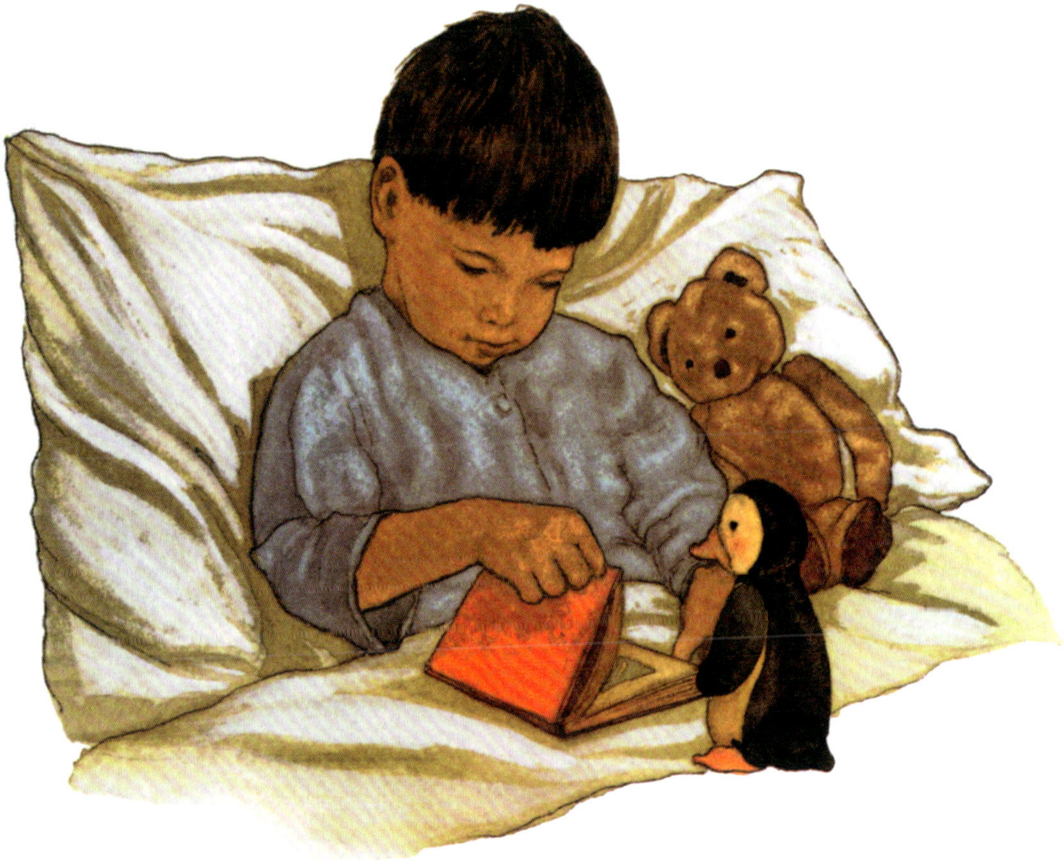

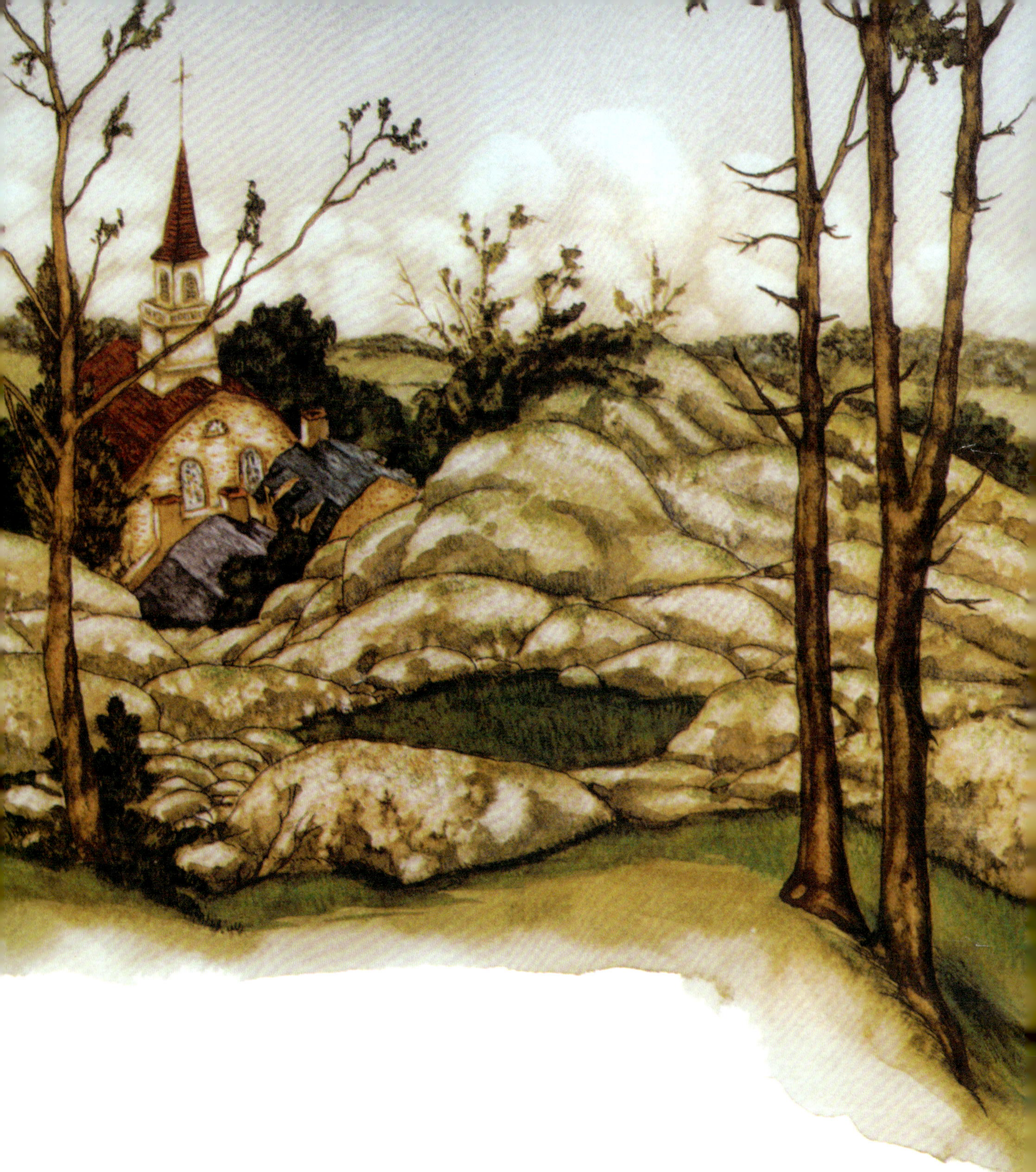

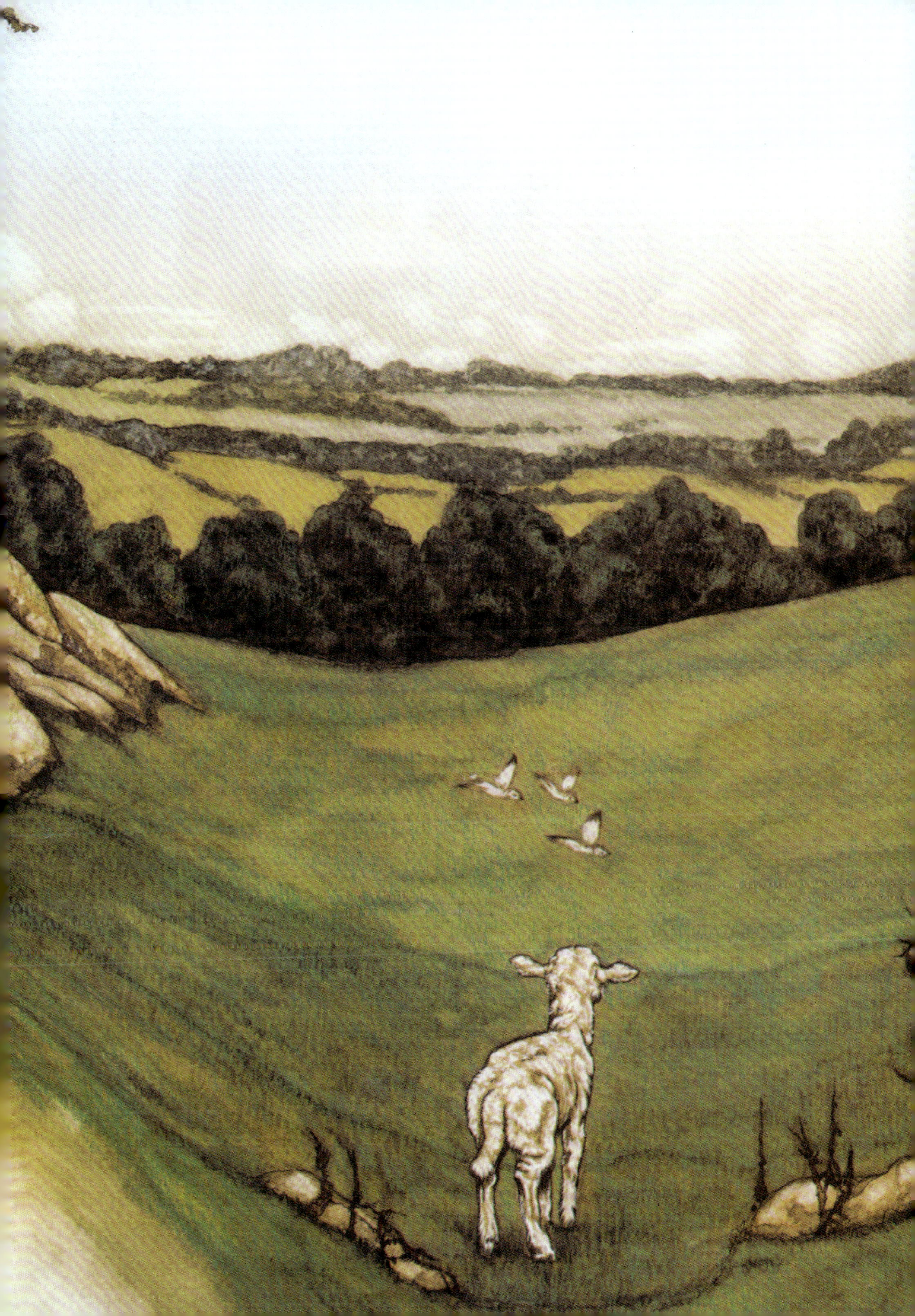

Direção editorial
Daniele Cajueiro

Editor responsável
Hugo Langone

Produção editorial
Adriana Torres
Laiane Flores
Adriano Barros

Revisão
Carlos Maurício da Silva Neto
Alessandra Volkert

Capa
Victor Burton

Diagramação
Leticia Fernandez Carvalho

Este livro foi impresso em 2024, pela Santa Marta, para a Nova Fronteira.

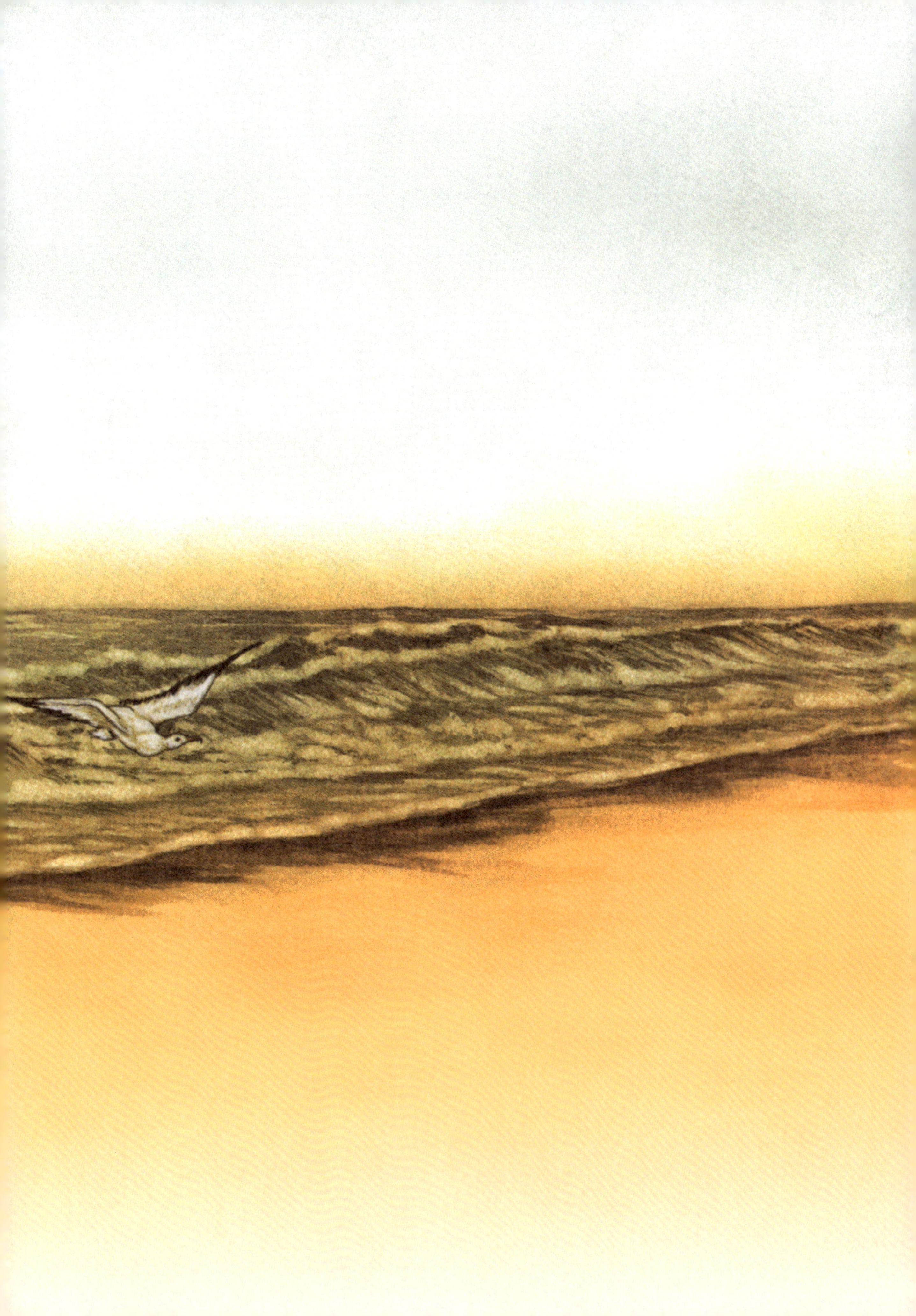